KB077236

강력한 덕성여대 인문계 논술

기출문제

저자 소개

저자 김근현은 현재 탁트인 교육, 일으킨 바람, 에듀코어 대표이다.
前 메가스터디 온라인에서 대입 논술과 면접, 자기소개서, 학생부종합 등 다양한 동영상 강의를 하였다.
현재는 학습 프로그램 개발 및 연구 활동을 통해 교육의 발전을 고민하고 있다.
홍익대학교에서 전자전기공학부를 졸업하고 동대학원에서 전자공학 석사(반도체 레이저)를 전공하였다. 또한 연세대학교 교육경영최고위자 과정을 마쳤으며 연세대학교 교육대학원에서 평생교육 경영을 공부하고 있다.

강력한 덕성여대 인문계 논술 기출 문제

발　행 | 2024년 07월22일
저　자 | 김근현
펴낸이 | 김근현
펴낸곳 | 일으킨 바람
출판사등록 | 2018.11.12.(제2018-000186호)
주　소 | 경기도 고양시 일산서구 하이파크 3로 61 409동 1503호
전　화 | 031-713-7925
이메일 | ileukinbaram@gmail.com

ISBN | 979-11-93208-97-7

www.iluekinbaram.com

강력한 덕성여대 인문계 논술 기출문제

김 근 현 지음

차례

머리말

책을 쓰기 위해 책상에 앉으면 아쉬움과 안타까움, 나의 게으름에 늘 한숨을 먼저 쉰다.

왜 지금 쓸까?
왜 지금에서야 이 내용을 쓸까?
왜 지금까지 뭐했니?
스스로 자책을 한다.

또 애절함도 함께 느낀다.
시험이 코앞에서야 급한 마음에 달려오는
수험생들에게 왜 미리 제대로 준비된 걸 챙겨주지 못했을까?
그렇게 하루, 한 달, 일 년 그렇게 몇 해가 지나 이제야 조금 마음의 짐을 내려놓는다.

입에 단내 가득하도록 학생들에게 강의를 했고,
코앞에 다가온 연속된 수험생의 긴장감을 함께하다보면
그렇게 바쁘게 초조하게 지냈던 것 같다.

그렇게 함께했던 시간을 알기에
부족하겠지만
부디 이 책으로 수험생들이 부족한 일부를 채울 수 있고,
한 걸음이라도 희망하는 꿈을 향해 다갈 수 있길 간절히 바래 본다.

김 근 현

I. 덕성여자대학교 논술 전형 분석

1. 논술 전형 분석

1) 전형 요소별 반영 비율

전형요소	논술	학생부교과	총합
논술고사	100%	0%	100%

2) 학생부 교과 반영

0%

3) 수능 최저학력 기준

국어, 수학, 영어, 탐구(사회/과학탐구 중 1과목) 중 *2개 영역* 등급의 *합 7* 이내

4) 논술 전형 결과

(ㄱ) 2024학년도 논술 전형 결과

모집단위	모집(명)	지원(명)			경쟁률		
		최초 지원자	실제 지원자		최초 경쟁률	실질경쟁률	
			결시 제외	수능최저 충족인원		결시 제외	수능최저 충족
글로벌융합대학 (인문사회)	55	3544	2,444	1,722	64.44	44.44:1	31.31:1
글로벌융합대학 (유아교육과)	5	167	102	60	33.40	20.40:1	12.00:1
과학기술대학	40	1182	811	565	29.55	20.28:1	14.13:1

모집단위	내신환산 점수평균	내신등급 평균	논술점수			충원합격 순위
			최고	평균	최저	
글로벌융합대학 (인문사회)	94.01	4.91	992.50	947.70	925.00	12
글로벌융합대학 (유아교육과)	92.21	5.43	955.00	932.50	910.00	4
과학기술대학	95.18	4.64	1,000	767.80	675.0	20

(ㄴ) 2023학년도 논술 전형 결과

모집단위	모집(명)	지원(명)			경쟁률		
		최초 지원자	실제 지원자		최초 경쟁률	실질 경쟁률	
			결시 제외	수능최저 충족인원		결시 제외	수능최저 충족
글로벌융합대학 (인문사회)	60	4095	2,803	2,348	68.25	46.72:1	39.13:1
글로벌융합대학 (유아교육과)	5	188	123	96	37.60	24.60:1	19.20:1
과학기술대학	40	1214	763	791	30.35	19.08:1	19.78:1

모집단위	내신환산 점수평균	내신등급 평균	논술점수			충원합격 순위
			최고	평균	최저	
글로벌융합대학 (인문사회)	91.46	5.22	975.00	923.70	900.00	10
글로벌융합대학 (유아교육과)	94.79	4.60	932.50	918.00	902.50	1
과학기술대학	94.52	4.84	1,000	772.4	685.00	24

(ㄷ) 2022학년도 논술 전형 결과

모집단위	모집(명)	지원(명)			경쟁률		
		최초 지원자	실제 지원자		최초 경쟁률	실질 경쟁률	
			결시 제외	수능최저 충족인원		결시 제외	수능최저 충족
글로벌융합대학(인문사회)	60	3387	2,722	1,838	56.45	45.37:1	30.63:1
글로벌융합대학(유아교육과)	5	211	157	90	42.20	31.40:1	18.00:1
과학기술대학	40	1071	799	611	26.78	19.98:1	15.28:1

모집단위	내신환산 점수 평균	내신등급 평균	논술점수			충원합격 순위
			최고	평균	최저	
글로벌융합대학(인문사회)	96.34	4.21	987.50	946.00	920.00	14
글로벌융합대학(유아교육과)	97.28	3.67	992.50	982.50	970.00	0
과학기술대학	97.09	3.78	1,000	988.00	975.00	24

(ㄹ) 2021학년도 논술 전형 결과

모집단위	모집(명)	지원(명)			경쟁률		
		최초 지원자	실제 지원자		최초 경쟁률	실질경쟁률	
			결시제외	수능최저 충족인원		결시제외	수능최저 충족
글로벌융합대학(인문사회)	127	4122	3021	2233	32.46	23.79: 1	17.58: 1
글로벌융합대학(유아교육과)	6	174	124	96	29.00	20.67: 1	16.00: 1
과학기술대학	77	1625	1,249	960	21.10	16.22: 1	12.47: 1

모집단위	내신환산 점수 평균	내신등급 평균	논술점수			충원합격 순위
			최고	평균	최저	
글로벌융합대학(인문사회)	95.02	4.55	995.00	929.80	900.00	38
글로벌융합대학(유아교육과)	96.98	3.87	960.00	952.50	940.00	0
과학기술대학	94.62	4.58	1000.00	934.70	830.00	51

(ㅁ) 2020학년도 논술 전형 결과

모집단위	모집 (명)	지원(명)			경쟁률		
		최초 지원자	실제 지원자		최초 경쟁률	실질경쟁률	
			결시 제외	수능최저 충족인원		결시 제외	수능최저 충족
글로벌융합대학 (인문사회)	127	3126	1471	563	24.61	11.58:1	4.43:1
글로벌융합대학 (유아교육과)	9	198	87	37	22.00	9.67:1	4.11:1
과학기술대학	84	1676	817	231	19.95	9.73:1	2.75:1

모집단위	내신환산 점수 평균	내신등급 평균	논술점수			충원합격 순위
			최고	평균	최저	
글로벌융합대학 (인문사회)	95.17	4.48	937.50	816.30	770.00	53
글로벌융합대학 (유아교육과)	96.03	3.85	965.00	922.80	900.00	0
과학기술대학	94.62	4.69	817.50	526.30	400.00	57

2. 논술 분석

구분	인문계열	
출제 근거	고교 교육과정 내 출제	
출제 범위	국어 교과	국어, 독서, 문학
	사회(역사/도덕 포함)	한국사, 한국지리, 세계지리, 세계사, 동아시아사, 경제, 정치와 법, 사회·문화, 생활과 윤리, 윤리와 사상
논술유형	인문형	
문항 수	2문항 (소문항 최대 3문항)	
답안지 형식	문항별 글자수 제한, 원고지형 답안지	
고사 시간	90분	

1) 출제 구분 : 계열 구분

2) 출제 유형 :

(ㄱ) 문항당 500자 이내 (총 1000자 이내)

(ㄴ) 2문항 (소문항 최대 3문항)

3) 출제 및 평가내용 :

(ㄱ) 500자 내외의 짧은 논술 두 문항을 90분에 쓰는 유형이므로 짧고 논리적인 글을 분석적으로 읽고 쓰는 연습을 통해 논술고사에 대비하는 것을 권장

(ㄴ) 교과서 및 EBS 교재와 연계된 지문을 활용하여 출제되므로 충실한 수능 준비가 곧 논술고사 준비로 연결

3. 출제 문항 수

구분	인문계
문항수	2문항(수문항 최대 3문항)

4. 시험 시간

· **90분**

5. 논술 유의사항

1) 답안 작성 시 유의 사항

(ㄱ) 수험번호, 성명 등 본인의 신상에 관련된 사항을 답안에 드러내지 말 것

(ㄴ) 답안의 글자 수는 띄어쓰기 포함

(ㄷ) 각 문제별로 정해진 분량의 글을 쓰고, 연습은 문제지를 이용할 것

(ㄹ) 필기구는 흑색 또는 청색 볼펜을 사용할 것 (연필, 샤프, 지우개 사용 가능/수정액, 수정테이프 사용 금지)

2) 2025학년도 모의논술 채점 기준

(ㄱ) 영역별 평가 기준

영역	내용	배점
이해력	지문과 문제의 내용을 정확하게 이해하고 있는가?	40
논증력	답안의 내용이 논리적(타당성)이고 일관성이 있는가?	40
표현력	문장의 표현이 자연스럽고 적절한가?	20

(ㄴ) 영역별 배점 기준

영역	A	B	C	D	F
이해력	40	32	24	16	0
논증력	40	31	22	13	0
표현력	20	15	10	5	0

(ㄷ) 영역별 배점기준

(가) 이해력 (40점)

<평가 요소>
▶ 정보를 활용하여 권력이 개인에 대한 통제와 감시를 할 수 있다는 파놉티콘과 역으로 다수의 개인이 정보를 활용하여 권력을 감시할 수 있다는 시놉티콘(혹은 역파놉티콘)을 이해했는지에 평가의 기준이 있다. ▶ 위 두 가지 관점에 해당하는 제시문을 바르게 구분하여 논술하였는가에 평가 초점이 있다. ▶ 주요 기준은 아래의 5개 항목과 같다. ① 파놉티콘과 시놉티콘(혹은 역파놉티콘)의 개념을 이해하고 구분하여 설명하였는가? ② 시놉티콘(혹은 역파놉티콘)의 관점에서 제시문 <나>의 내용을 제시하여 논술하였는가? ③ 파놉티콘의 관점에서 제시문 <다>의 내용을 제시하여 논술하였는가? ④ 시놉티콘(혹은 역파놉티콘)의 관점에서 제시문 <라>의 내용을 제시하여 논술하였는가? ⑤ 파놉티콘의 관점에서 제시문 <마>의 내용을 제시하여 논술하였는가?

배점	채점 기준
A	5개의 기준을 모두 충족하여 논술한 경우
B	4개의 기준을 충족하여 논술한 경우
C	3개의 기준을 충족하여 논술한 경우
D	2개의 기준을 충족하여 논술한 경우
F	1개의 기준만을 충족하여 논술한 경우, 답안을 작성하지 않았거나 관련 없는 내용을 작성한 경우

(나) 논증력 (40점)

<평가 요소>
▶ 파놉티콘과 시놉티콘(혹은 역파놉티콘)의 개념을 구분하고 관련한 제시문들을 적절하게 논증하여 제시했는가에 평가의 초점이 있다. ▶ 파놉티콘에 대한 주요 논거(현대사회에서 개인들의 정보가 권력이 개인에 대한 통제와 감시 기제로 작용할 수 있다는 점)를 적시하여 논증하고 있는가에 평가의 초점이 있다. ▶ 시놉티콘(혹은 역파놉티콘)에 대한 주요 논거(다수의 개인이 정보를 활용하여 권력을 감시할 수 있다는 점)을 적시하여 논증하고 있는가에 평가의 초점이 있다. ▶ 주요 기준은 아래의 4개 항목과 같다. ① 제시문 <나>에서 개인들이 누리 소통망(SNS)을 통해 튀니지의 부패한 독재정권 교체에 영향을 준 것을 시놉티콘과 연계하여 논증하고 있는가? ② 제시문 <다>에서 사물 인터넷 등을 통한 개인 정보의 취합을 통해 권력이 개인에 대한 감시가 가능할 수 있다는 관점을 파놉티콘과 연계하여 논증하고 있는가? ③ 제시문 <라>에서 전자 민주주의를 통해 개인들이 직접 권력에 영향을 행사할 수 있다는 점을 시놉티콘과 연계하여 논증하고 있는가? ④ 제시문 <마>에서 국가의 안전보장, 질서 유지, 그리고 공공복리를 위해 권력의 개인에 대한 통제를 어느 정도 허용한다는 헌법 제37조 제2항을 파놉티콘 관점과 연계하여 논증하고 있는가?

배점	채점 기준
A	5개의 기준을 모두 충족하여 논술한 경우
B	3개의 기준을 충족하여 논술한 경우
C	2개의 기준을 충족하여 논술한 경우
D	1개의 기준을 충족하여 논술한 경우
F	평가기준을 모두 충족하지 못한 경우, 답안을 작성하지 않았거나 관련 없는 내용을 작성한 경우

(다) 표현력 (10점)

<평가 요소>
▶ 문장 표현의 자연스러움, 적절성, 올바른 맞춤법, 접속사, 주어-서술어 호응 등이 정확한가를 평가하며, 주요 기준은 아래의 4개 항목과 같다. ① 맞춤법은 정확한가? ② 적절한 접속사를 사용하고 있는가? ③ 주어-서술어 호응 등 문법에 맞는 문장을 사용하고 있는가? ④ 비속어 등 적절하지 못한 단어를 사용하고 있는가?

배점	채점 기준
A	①, ②, ③, ④ 평가기준을 모두 충족한 경우
B	①, ②, ③, ④ 평가기준 중 3개만 충족한 경우
C	①, ②, ③, ④ 평가기준 중 2개만 충족한 경우
D	①, ②, ③, ④ 평가기준 중 1개만 충족한 경우
F	①, ②, ③, ④ 평가기준을 모두 충족하지 못한 경우, 답안을 작성하지 않았거나 관련 없는 내용을 작성한 경우

<감점기준>
▶ 525자 초과 → 한 등급 낮춤 ▶ 475자 초과 ~ 525자 이하 → 감점 없음 ▶ 300자 초과 ~ 475자 이하 → 한 등급 낮춤 ▶ 300자 이하 → 표현력 0점 처리

II. 기출문제 분석

1. 출제 경향

학년도	교과목	질문 및 주제
2025학년도 모의 논술	철학, 국어, 언어와 매체, 독서, 심화국어, 윤리와 사상, 생활과 윤리, 논술	예술의 가치, 공공주택 프로젝트, 언어의 사회성
	정치와 법, 정보, 생활과 윤리, 사회·문화, 사회문제탐구	파놉티콘, 시놉티콘(혹은 역파놉티콘)
2024학년도 수시 논술	국어, 문학, 독서, 고전 읽기, 논술, 윤리와 사상	마음, 감각, 인식, 욕망, 큰 몸[大體], 작은 몸[小體]
	정치와 법, 생활과 윤리, 한국사	형식적인 법치주의, 실질적인 법치주의
2024학년도 모의 논술	국어, 문학, 고전 읽기, 윤리와 사상, 고전과 윤리	자연법, 실정법, 국가, 공동체, 충, 효, 윤리
	사회·문화, 통합사회	사회 실재론, 사회 명목론
2023학년도 수시 논술	국어, 독서 언어와 매체, 화법과 작문	의사소통, 상대 높임법, 공동체, 사회적 요인, 언어 규범, 도구주의, 실용주의
	통합사회, 한국사, 정치와 법, 생활과 윤리	개인, 공동체, 자유와 권리, 공동선
2023학년도 모의 논술	언어와 매체	언어, 사고, 언어의 본질, 언어와 사고, 사피어-워프 가설, 언어결정론, 언어상대론
	사회·문화, 생활과 윤리	사회 불평등, 기능론, 갈등론, 분배, 직업, 계층

<table>
<tr><th>학년도</th><th>교과목</th><th>질문 및 주제</th></tr>
<tr><td rowspan="2">2022년도
수시 논술</td><td>국어, 고전, 문학,
독서, 논리, 철학</td><td>감정이입(empathy), 연민(compassion)</td></tr>
<tr><td>사회·문화, 세계사,
한국사, 통합사회</td><td>자문화 중심주의, 문화 사대주의, 문화 상대주의</td></tr>
<tr><td rowspan="2">2021학년도
수시 논술</td><td>국어, 사회·문화</td><td>다문화, 여성, 계층, 차별, 차이, 민주주의,
시민교육</td></tr>
<tr><td>사회·문화,
윤리와 사상,
한국사</td><td>사회 구조, 개인의 사고와 행위, 주체적 개인</td></tr>
</table>

2. 출제 의도

<table>
<tr><th>학년도</th><th>출제의도</th></tr>
<tr><td rowspan="2">2025학년도
모의 논술</td><td>● 출제의 핵심은 학생들이 다양한 주제에 대하여 통합적 사고를 할 수 있는지 평가하는 데에 있었다. 아울러, 학생들의 논리적 사고력, 비판적 사고력, 제시문 분석 능력, 적용 능력, 논리적 서술 능력도 고등학교 수준에서 종합적으로 평가하고자 하였다.
● 이 문항은 〈가〉의 톨스토이의 예술론의 관점을 정확히 이해한 후, 〈나〉와 〈다〉의 사례에 이를 적용하도록 요구하고 있다. 학생들은 먼저 〈가〉의 예술론을 바탕으로 '진짜'와 '가짜', '좋은' 것과 '나쁜' 것의 기준을 명확히 파악하여야 한다.
● 나아가, 이 개념을 예술론의 경계를 넘어 확장함으로써 〈나〉와 〈다〉의 사례를 구분하고, 그 근거를 논리적으로 서술할 수 있어야 한다. 요컨대, 학생들은 논리적인 사고를 바탕으로 주어진 관점을 이해하고 이를 다른 영역의 사례에 비판적으로 확장 적용한 후, 그 사고의 과정을 논리적으로 서술하여야 좋은 답안을 써 낼 수 있게 되는 것이다.</td></tr>
<tr><td>● 정보 기술의 발달로 나타나는 감시와 통제의 현상을 파놉티콘과 시놉티콘(역파놉티콘)의 개념으로 이해하고, 제시문에 나타난 내용을 구분하고 논증할 수 있는 능력을 파악하는 데 있다.
● 정보기술의 발달이 개인에 대한 감시와 통제의 문제를 야기할 수 있음을 제시된 파놉티콘의 개념으로 이해할 수 있는가?
● 정보기술의 발달이 개인의 정치적 참여를 촉진하고 국가 및 기업의 권력 남용에 대한 감시를 가능하게 함을 시놉티콘의 개념으로 이해할 수 있는가?
● 각각의 제시문을 파놉티콘과 시놉티콘의 개념과의 연관성 속에 분류할 수 있고 논증할 수 있는가?</td></tr>
<tr><td>2024학년도
수시 논술</td><td>● 텍스트의 이해 능력
● 문학 텍스트와 비문학 텍스트를 비교하고 요약하는 능력
● 논지를 파악하여 종합하는 능력
● 삶의 태도를 이해하는 능력과 이를 평가하는 사고력
● 생각을 효과적으로 전달하는 표현력
● 인간의 마음과 감각 기관의 관계를 파악하고, 이를 바탕으로 인간이 삶을 살아가는 데 필요한 마음가짐과 태도가 무엇이며, 이것이 문학 작품 속에 어떻게 반영되었는지 논리적으로 표현하는 능력을 확인하고자 하였다.</td></tr>
</table>

학년도	출제의도
	● 법치주의를 바라보는 두 가지 관점을 관련된 예시를 통하여 논증하는 것에 있다. 구체적으로 제시문 <가>에 나타난 두 가지 관점은 법 자체의 내용과 목적보다는 의회 제정이라는 형식적인 합법성만 강조한 형식적인 법치주의와 형식적인 합법성뿐만 아니라 실질적인 법의 목적과 내용도 정의와 헌법 이념에 부합해야 한다는 실질적인 법치주의를 이해하는 것에 첫 번째 의도를 담고 있다. ● 또한, 이 문항은 제시문 <가>에 언급된 두 가지 법치주의 관점에 해당하는 사례를 <나>, <다>, <라>, <마>에서 선정하여 그 근거를 제시하도록 요구한다. ● 궁극적으로 법치주의에 대한 두 가지 관점을 이해하고, 다양한 실제 사회·문화 현상들을 제시한 <나>,<다>,<라>,<마>를 구분할 수 있는 능력을 확인하는 것에 문항의 출제 의도가 있다.
2024학년도 모의 논술	● 텍스트의 이해 능력 ● 문학 텍스트와 비문학 텍스트를 비교하고 요약하는 능력 ● 논지를 파악하여 종합하는 능력 ● 삶의 태도를 이해하는 능력과 이를 평가하는 사고력 ● 생각을 효과적으로 전달하는 표현력과 창의력 ● 법과 윤리의 충돌 상황을 논리적으로 정리하고, 이러한 딜레마적 상황에서 수험생이 논리적 근거를 들어 자신의 생각을 설득력 있게 표현할 수 있는지 확인하고자 하였다.
	● 사회 실재론과 사회 명목론의 핵심 개념을 이해하고, 관련 예시를 통하여 논증하는 것에 출제 의도가 있다. 구체적으로 제시문 <가>에 나타난 두 가지 관점은 사회·문화 현상을 이해하기 위해 개인의 특성보다는 사회 구조를 탐구해야 한다는 사회 실재론과 사회·문화 현상을 이해하기 위해 사회를 구성하는 개인들의 특성을 탐구해야 한다는 사회 명목론에 대한 것으로 이를 명확하게 이해하는 것에 첫 번째 의도를 담고 있다. ● 또한, 이 문항은 제시문 <나>, <다>, <라>, <마>의 예시를 활용하여 언급된 두 가지 관점에 근거해 분류하고 이유를 제시하도록 요구한다. 제시문 <나>는 영국 런던의 쇼어디치 공장 지대를 예로 들며 빈민촌이었던 지역이 문화 예술 지역으로 변화하는 과정에서 개인의 능동적인 상호 작용이 작용했다는 사회 명목론적인 관점을 가진다. 제시문 <다>는 사회 유기체설을 바탕으로 실제 사회는 존재하며, 사회는 구성원들의 합 이상의 존재로서 개인의 특성을 초월한 고유한 특성을 지니고 있다는 사회 실재론적인 관점에 기반

학년도	출제의도
	한다. 제시문 <라>는 청년 실업률이 저조함에 대한 사회 구조적인 원인을 지적하고 있으므로, 사회 문제 현상 해결에 있어 사회 실재론적인 관점으로 이해할 수 있다. 마지막 제시문 <마>는 흑인의 참정권 운동에서 미국의 마틴 루서 킹 목사의 개인적인 노력이 사회 문제를 해결하고 사회 변화를 야기했다는 점에서 사회 명목론적인 관점으로 이해될 수 있다. 궁극적으로 사회 실재론과 사회명목론의 개념을 이해하고 다양한 실제 사회·문화 현상들을 제시한 <나>, <다>, <라>, <마>를 구분할 수 있는 능력을 확인하는 것에 출제 의도가 있다.
2023학년도 수시 논술	● 문항은 언어와 사고의 관계를 다루었다. 주제의 일관성을 유지하기 위해, 본 논술고사에서도 언어에 주목하였다. 우리의 삶에서 적절하게 언어를 구사하는 능력은 매우 중요하다. 같은 의미를 가진 말이라도 미묘한 차이에 의해서 전혀 다른 결과를 낳기도 한다. 일상의 다양한 언어생활의 현장에서 상황과 맥락을 파악하고 상대와의 관계를 고려하여 효과적으로 의사소통하는 능력은 필수적이다. ● 일상생활에서 언어를 적절하게 사용하기 위해서는, 언어 규범에 대해 성찰하는 능력이 필요하다. 우리의 언어규범은 화자와 청자의 관계에 따라 세부적인 내용을 풍부하게 담고 있다. 그런데 우리는 때로 언어 규범을 의식적으로 무시하기도 한다. ● 본 문항은 언어규범과 실용주의에 관한 제시문과 주어진 대화 상황에 대한 이해력, 이론적 개념을 현실의 대화에 적용하는 논증력, 의미를 명확하게 드러내는 표현력을 측정하고자 한다.
	● 출제 의도는 개인의 자유와 공동체 가치 중 어느 가치를 더 중요하다고 보는가의 문제와 관련한 두 가지 관점을 이해하고, 이에 해당하는 제시문을 찾아 그 근거를 설득력 있게 논증하는 데 있다. ● 공동체 가치보다 개인의 자유를 중요하게 보는 관점의 핵심 주장을 이해하고 있는가? ● 개인의 자유보다 공동체 가치를 중요하게 보는 관점의 핵심 주장을 이해하고 있는가? ● 제시문 <나>, <라>, <마>의 내용이 공동체 가치를 중요하게 보는 관점에 해당한다는 점을 파악하고, 그 근거를 제시할 수 있는가? ● 제시문 <다>의 내용이 개인의 자유를 중요하게 보는 관점에 해당한다는 점을 파악하고, 그 근거를 제시할 수 있는가?

<table>
<tr><th>학년도</th><th>출제의도</th></tr>
<tr><td rowspan="2">2023학년도 모의 논술</td><td>● 대학에서 이루어지는 학문 활동은 언어를 매개로 이루어진다. 사람들은 같은 생각이라도 어떻게 표현되었는지에 따라 다르게 받아들인다. 훌륭한 생각을 가졌더라도 효과적인 언어로 체계적으로 제시하지 못하면 인정받지 못하는 곳이 학문의 세계이다.
● 본 문제는 학문의 도구인 언어에 대한 진지한 성찰을 유도한다. 일반적으로, 우리는 언어가 사고를 표현하여 의사소통을 하기 위한 기호로서 약정되었다고 이해한다. 하지만 우리가 사용하는 언어는 인간의 사고방식과 행동 양식에 영향을 주기도 한다. 이는 사피어-워프 가설로도 알려져 있다. 이와 일맥상통하는 예로, 일부 스타트업에서는 수평적인 기업 문화를 정착시키기 위해 직함 대신 외국어 별명으로 서로를 부른다.
● 또한, 언어의 기능 또는 언어의 힘에 관한 제시문을 정확히 이해하는 이해력과, 여러 제시문에 나타난 견해들을 비교하여 공통점과 차이점을 찾아내고 비문학 제시문의 선명한 논점을 문학 제시문과 연결하여 해석하는 논증력 또한 평가하고자 한다. 어려운 학술적 텍스트와 문학 제시문을 자신의 언어로 소화하여 자연스럽고 정확한 우리말로 서술하는 표현력도 중요한 평가 요소이다.</td></tr>
<tr><td>● 이 문항의 출제 의도는 사회 불평등을 바라보는 기능론적 입장과 갈등론적 입장의 핵심 주장을 이해하고, 관련 예시를 통하여 논증하는 것에 있다. 구체적으로 제시문 <가>의 기능론적 입장을 제시문 <나>, <다>, <라>의 예시를 바탕으로 갈등론적 입장에서 비판해야 한다.
● 제시문 <가>의 기능론적 관점은 크게 다음의 세 가지 논거를 토대로 사회 불평등이 불가피하다고 주장한다. 첫째, 인간이 행하는 일에는 중요도가 존재하기 때문에 중요한 일을 수행하는 사람에게 사회적 희소가치가 더 분배되는 것이 당연하다. 둘째, 소득의 합리적 분배는 개인의 능력이나 노력에 따라 이루어진다. 셋째, 이런 방식은 개인의 성취 동기를 높여 사회가 원활하게 돌아가게 한다.
● 이 문항은 제시문 <나>, <다>, <라>를 활용하여 이러한 기능론의 주장을 다음과 같이 반박하도록 요구한다. 제시문 <다>는 인간이 수행하는 일은 중요도가 아니라 개인의 행복 등의 다양한 요인에 의하여 결정될 수 있다는 것을 보여준다. 제시문 <라>는 개인의 성취는 온전히 자신의 능력과 노력만으로 이루어진 것이 아니라 가정환경 등의 다양한 요인이 영향을 미칠 수 있다는 점을 시사한다. 제시문 <나>는 사회구조가 양극화되어 있으면 사회가 안정적</td></tr>
</table>

학년도	출제의도
	으로 유지되기보다 오히려 사회 갈등을 심화시켜 공동체가 와해할 수도 있음을 보여준다. 궁극적으로 제시문 <나>, <다>, <라>를 통하여 일의 기능적 중요도 문제만을 놓고 희소자원을 분배하는 것이 합리적이고 사회 발전에 기여한다는 기능론의 입장을 비판할 수 있어야 한다.
2022학년도 수시 논술	● 한국 사회의 차별과 불평등을 시정하기 위한 일련의 법과 제도에 대해 어떤 사람들은 긍정을, 어떤 사람들은 부정을 표출한다. 이러한 반응은 합리적이고 이성적일 때도 있지만 불합리하거나 감정적일 때도 있다. 차가운 이성의 논리로 토론할 때도 있지만 뜨거운 감정의 격동에 의해 선택이 이루어질 때도 있다. ● 본 문항은 수험생들이 격동적인 인간의 감정을 합리적으로 분석해 보길 기대하며 출제되었다. 여기서 수험생들이 핵심적으로 고민해 볼 대상은 연민의 감정이다. 본 문항은 제시문 <가>의 연민이라는 개념에 대한 수험생의 이해를 토대로 <나>의 제선왕(齊宣王)과 <다>의 시적화자의 행위와 감정을 분석하길 요구하였다.
	● 출제 의도는 문화를 이해하는 세 가지 태도인 자문화 중심주의, 문화 사대주의, 문화 상대주의의 관점을 이해하고 이에 해당하는 사례를 찾아 각 사례를 비판하는 능력을 파악하는데 있다. ● 문화를 이해하는 태도로서 자문화 중심주의, 문화 사대주의, 문화 상대주의의 개념을 이해하고 있는가? ● 제시문 <나>의 백인종은 우월하고 원주민은 미개하다는 인종적 우월감 사례, <마>의 위정척사 운동을 전개하는 유생들이 서양 사람을 금수라고 생각한 사례를 자문화 중심주의와 연계하여 파악하고 비판하고 있는가? ● 제시문 <다>의 연나라 젊은이가 조나라의 걸음걸이를 흉내 내다 옛날의 걸음걸이마저 잊어버린 사례를 문화 사대주의와 연계하여 파악하고 비판하고 있는가? ● 제시문 <라>의 힌두교의 풍습인 사티를 존중하자는 주장을 극단적 문화 상대주의 태도와 연계하여 파악하고 비판하고 있는가?
2022학년도 모의 논술	● 제시문에 대한 독해를 통해 본문에 제시된 문제 상황을 정리할 수 있는지 수험생의 이해력을 확인하고자 하였다. 다음으로 서로 다른 문제 상황을 읽어내고 이를 비교의 과정을 통해 논리적으로 분석할 수 있는지 측정하기 위해 단계적 사고 과정을 보여줄 수 있는 개념이 포함된 제시문을 제시하여, 학생이 문제 상황을 분석하고 그 이유를 개념화된 사고로 추론해낼 수 있는지 수험생의 논리력을 검증하고자 하였다.

학년도	출제의도
	● 또한 이상의 사고 과정을 통해 발견한 문제 상황과 그 원인에 대한 추론 결과를 개념화하여 이를 사고의 도구로 삼아 문학 작품에 제시된 문제 상황을 이해 및 분석하고 그 원인을 찾아 나가는 과정을 서술할 수 있는지 수험생의 창의력을 평가하였다. 아울러 자신의 생각을 자연스럽고 정확한 한국어로 서술할 수 있는지 수험생의 표현력도 점검했다.
	● 문항의 출제 의도는 시장 경제가 올바르게 작동하기 위해 필요한 사회제도적 요구 조건들인 자유로운 경제활동, 사유재산권, 공정한 경쟁의 보장이 추구하는 핵심 원리에 대해 적절히 이해하고, 이러한 이해를 바탕으로 역사적 사실 또는 문학 작품 내에 드러난 가상의 상황을 비판적으로 논의하는 데에 활용할 수 있는가를 파악하는 것이다. ● 이러한 취지를 달성하기 위해 이 문항은 시장 경제를 위해 필요한 세 가지의 사회제도적 요건들을 제시문 <가>를 통해 파악하고 명확하게 정리할 것을 요구하고 있으며, 제시문 <나>, <다>, <라>에서 파악되는 상황들의 어떠한 측면이 올바른 시장 경제의 실현에 반하는가를 파악할 것을 요구하고 있다. 이 과정에서 제시문 <나>, <다>, <라>에 드러난 상황이 야기하는 결과를 올바르지 못한 시장 경제의 작동 결과로 논의할 수 있는지를 판단한다.
2021학년도 수시 논술	● 대학의 학문 활동에 기초가 되는 다양한 텍스트의 논점을 정확히 이해하는 능력, 여러 텍스트를 비교하여 종합적으로 사고하는 능력, 전문적인 이론과 개념을 적용하여 여러 장르의 텍스트를 분석하는 능력을 측정한다. ● [문항 1]은 다양한 장르의 문학 작품 속에 형상화된 사회문제를 도출하는 분석적 사고력과 그것을 해결하는 종합적인 사고력, 문제해결능력을 평가한다.
	● 사회 구조가 개인의 사고와 행위를 강제하는 외적인 힘으로 작용한다는 관점과 인간의 주체적 노력으로 사회 구조를 바꿀 수 있다는 관점에 해당하는 사례를 찾아 그 이유를 논증하는 능력을 파악하는 데 출제의도가 있다. ● 사회 구조가 개인의 사고와 행위를 강제하는 외적인 힘으로 작용한다는 관점과 인간이 주체적인 노력으로 사회 구조를 바꿀 수 있다는 관점의 차이를 이해하고 있는가?

학년도	출제의도
	● 제시문 <나>의 자본주의 구조 속에서 사회적 약자의 생존권이 위협받는 사례, <마>의 신분구조에 따라 개인들의 직업과 행동이 정해진 사례를 사회 구조가 개인의 사고와 행위를 강제하는 외적인 힘으로 작용한다는 관점과 연계하여 파악하고 논증할 수 있는가? ● 제시문 <다>의 구성원의 기본권을 침해하거나 소수자를 부당하게 차별하는 정치 공동체의 법이나 정책을 시정하기 위해 노력하는 시민 불복종 사례, <라>의 여성의 사회적 지위 향상과 여성 해방을 목표로 한 사회운동을 주도하는 사례를 인간이 주체적인 노력으로 사회 구조를 바꿀 수 있다는 관점과 연계하여 파악하고 논증할 수 있는가?
2021학년도 모의 논술	● 대학에서 학문 활동에 필요한 다음과 같은 기초 능력을 평가한다. ● 텍스트의 이해 능력 ● 문학 텍스트와 비문학 텍스트를 비교하는 능력 ● 논지를 파악하여 종합하는 능력 ● 삶의 태도를 이해하는 능력과 이를 평가하는 사고력 ● 생각을 효과적으로 전달하는 표현력과 창의력
	● 이 문항의 출제 의도는 평등을 바탕으로 한 정의인 평균적 정의와 배분적 정의 논의의 핵심을 이해하고, 제시문 중에서 평균적 정의와 배분적 정의에 해당하는 사례를 찾아 그 이유를 논증하는 능력을 파악하는 데 있다. ● 평등을 바탕으로 한 정의를 평균적 정의와 배분적 정의 두 가지 측면에서 찾고 있는 논의의 핵심을 이해하고 있는가? ● 제시문 <나>의 소득차이에 따른 복지제도의 차이, <다>의 가구의 필요의 차이에 따른 분배, <마>의 소득 증가에 따른 세금 증가가 배분적 정의와 연관된 사례라는 점을 파악하여 논증할 수 있는가? ● 제시문 <라>의 개인의 차이와 상관없이 지급되는 기본 소득이 '평균적 정의'와 연관된 사례라는 점을 파악하여 논증할 수 있는가?

III. 논술이란?

1. 논술이란?

1) 논술이란?

어떤 문제에 대해 자기 나름의 주장이나 견해를 내세운 다음, 여러 가지 근거를 제시하여 그 주장이나 견해가 옳음을 증명하는 글쓰기 활동을 말한다. 따라서 논술의 가장 기본적인 요소는 주장과 근거이다. 다시 말해 어떤 주제에 관해서 자신의 견해를 밝히고 자기 의견을 내세우는 글이 바로 논술이다. 때문에 논술은 특별히 논리적이어야 한다는 요구를 받게 된다. 왜냐하면 여러 가지 의견이 있을 수 있는 문제에 대해 자신의 의견을 세워 다른 사람을 설득하려면, 그 주장이 충분한 근거 위에서 논리적으로 개진될 때만 가능하기 때문이다.

2) 대한민국 논술고사는?

한국에서의 대학 입시 논술고사는 실제 교과 과정과 교과서가 기본이 되어 응용된 사고와 풀이 능력과 지식을 바탕으로 한다. 논술고사는 일반적을 비판적으로 글을 읽는 능력과 창의적으로 문제를 설정하고 해결하는 능력 그리고 논리적으로 서술하는 능력을 종합적으로 평가하는 시험이다. 비판적으로 글을 읽는다는 것은 능동적으로 자신의 관점에서 글을 읽는 것을 말하며, 창의적으로 문제를 설정하고 해결하는 능력이란 심층적이고 다각적으로 논제에 접근함으로써 독창적인 사고와 풀이를 이끌어낼 수 있는 능력을 말한다. 그리고 논리적 서술 능력은 글 구성 능력, 근거 설정 능력, 표현 능력 등을 포괄한다.

3) 인문계 논술? 그리고 그 변화

모든 글은 일반적으로 3가지 종류로 나뉘어진다. 시, 소설 등 문학 작품과 같은 글쓰기인 창작적 글쓰기(creative writing)와 설명문이나 해설문의 글쓰기는 해명적 글쓰기(expository writing), 그리고 논설문의 글쓰기인 비판적 글쓰기(critical writing)가 있다. 이 글쓰기 중 대한민국의 대학입시에서 시행되고 있는 인문계 논술은 창작적 글쓰기는 포함되지 않는다. 새로운 문학 작품을 쓰는게 아니라 제시문을 읽고 내용을 구체화시켜 잘 설명하는 설명문의 형태가 있고, 주어진 문제에 대해 생각하고 깊이있는 주장을 피력하는 비판적 글쓰기도 있다.

2. 논술의 기본 용어

1) 논제 : 논술의 문제를 의미한다.

반드시 해결하고 접근하여야 할 논술 시험의 대상이다.

(ㄱ) 중심 논제 : 채점할 때 가장 배점이 높으며, 핵심적으로 해결해야 할 논술의 문제

(ㄴ) 세부 논제 : 큰 논제 속에 포함된 작은 문제, 각 단계별 채점의 기준이 되며 세부 채점 항목으로 필수 해결 항목이다.

2) 논거 : 논술에서 설명하고 주장하는 논리적인 근거 혹은 이유

3) 주장 : 수험생이 생각하고 채점자에게 알리고 싶은 생각

4) 제시문 : 보기 지문을 말한다.

(ㄱ) 출제자가 논제 해결을 위해 보여주는 다양한 글

(ㄴ) 각종 그래프, 도표, 그림 등

자료가 정해져 있지는 않다. 하지만 고등학교 교과서를 가장 많이 인용하고, 고등학교 교과 과정으로 분석하고 판단할 수 있는 내용을 제시한다.

5) 개요 : 논제에 맞게 더 구체적으로는 세부 논제에 맞게 글의 진행 방향을 간략하게 정리하는 과정이다.

3. 논술의 명령어

논술고사 후 대학의 발표 자료를 보면 논술은 출제자의 의도에 부합하게 글을 써야 한다고 강조한다. 그런데 출제자의 의도를 파악하는 것은 자칫 상당히 모호하고 주관적인 것으로 판단하기 쉽다.

하지만 인문계 논술에서는 명령어가 한정되어 있다. 그 명령어들을 잘 익히고 의미를 파악한다면 훨씬 논술의 이해가 높아질 것이다. 또한 대학의 채점 기준에는 명령어의 요구 조건을 충족하는지를 평가한다. 그러므로 인문계 논술의 명령어는 수험생에게는 아주 기초적이지만 필수적이며 절대 잊지 말아야 할 중요한 핵심이다.

1) ~ 에 대해 논술하시오.

; 주장을 밝히고 근거를 제시한다.

2) ~ 에 대해 설명하시오.

: 사실, 주장 등을 쉽게 풀어서 밝힌다.

- **~ 제시문 간의 관련성을 설명하시오.**
- **~ 제시문의 논리적 타당성과 문제점을 설명하시오.**
- **~ 제시문을 참고하여 주어진 자료의 특징을 설명하시오.**
- **~ 제시문의 관점에서 왜 그런 현상이 생기는지 그 이유를 설명하시오.**

3) ~ 의 비교하시오. 혹은 대조하시오.

: 공통점과 차이점을 중심으로 설명한다.

- **~ 공통점과 차이점을 설명하시오.**

4) ~ 을 분석하시오.

: 주제를 구성요소로 나누고 각 부분의 의미와 상호관계를 밝힌다.

5) ~ 제시문과 주어진 자료를 참고하여 현상을 예측해 보시오.

: 주어진 자료를 해석하고 자료로부터 얻을 수 있는 시간에 따른 변화나 자료의 발생 이유를 살핀다.

6) ~ 제시문의 문제점을 지적하고 그 문제점을 해결할 방법을 제시하시오.

: 보통은 수학이나 과학의 역사에서 발생했던 여러 오류나 실험과정에서 나타난 문

제점을 가지고 있다. 또한 이론이나 실험, 학생의 실험보고서 등과 같이 확실한 오류가 있는 제시문을 주기도 한다. 분명히 문제점을 파악하여 답안에 서술하고 문제점이나 해결할 수 있는 방법 등을 명확히 하여야 한다.

● ~ 제시문의 관점에서 왜 그런 현상이 생기는지 그 원리를 설명하고 그런 현상을 예방할 수 있는 방안을 제시하시오.
● ~ 문제점을 지적하고 합리적 대안을 제안해 보시오.
● ~ 주어진 관점을 검증할 수 있는 방법을 논하시오.
● ~ 주어진 문제점을 해결할 수 있는 실험을 설계해 보시오.

7) 제시문의 관점에서 주장을 비판하시오.

: 어떤 주장의 타당성이나 가치 등을 평가한다.

4. 인문계 논술 글쓰기 유의사항

① 논제의 해결이 핵심이다. 출제자가 원하는 답을 써야 한다.

② 논제에 부합하는 글을 일관성 있게 써야 한다.

③ 한편의 글을 완성하여야 한다. 나열하거나 사례를 보여주는 것은 의미가 없다.

④ 제시문을 활용, 인용하는 것과 제시문을 그대로 옮겨 쓰는 것은 다르다. 적절하게 제시문의 내용을 사용하여 논제를 해결하여야 한다. 절대 제시문의 문장을 그대로 쓰면 안 된다. 금기사항이고 감점요인이다.

⑤ 부적절한 문장 즉, 비문을 만들지 말아야 한다. 주어와 서술어가 적절하게 있어 문장의 의미를 명확히 전달하여야 한다. 주어를 생략하거나 지시어를 과도하게 사용하면 문장의 의미가 모호해 진다.

⑥ 문장은 짧고 간결하게 써야 한다. 자신의 의견을 명확히 간결하고 효과적으로 밝혀야 한다.

5. 논술 확인 사항

1. 답안지는 지급된 흑색 볼펜으로 원고지 사용법에 따라 작성하여야 합니다.
(수정액 및 수정테이프 사용 금지)
2. 수험번호와 생년월일을 숫자로 쓰고 컴퓨터용 사인펜으로 ● 표기하여야 합니다.
3. 답안의 작성 영역을 벗어나지 않도록 각별히 유의 바라며, 인적사항 및 답안과
. 관계없는 표기를 하는 경우 결격 처리 될 수 있습니다.
4. 제시된 작성 분량 미 준수 시 감점 처리됨을 유의 바랍니다.

IV. 인문계 논술 실전

1. 각 대학별 논술 유의사항을 파악하라!

많은 대학에서 글자수 제한을 확인하여야 한다. 그래서 원고지 형이 많지만, 문항별 칸을 만들거나 밑줄 답안 형식도 있다. 논술 시험 시간은 각 대학별로 다양하다. 60분 즉, 한 시간을 시작으로 많게는 2시간까지 (120분)까지 다양하게 있다. 대학별로 준비해야 하는 중요한 이유이다. 답안을 작성하는 필기구도 다양하다. 연필(샤프펜)의 사용이 꾸준히 증가하지만 아직까지 검정색 볼펜이나 청색 볼펜으로 사용하는 학교도 많다. 주의할 것은 수정법이다. 수정은 학교에 따라 수정액, 수정테이프의 사용을 제한하는 경우도 있고 틀리면 두줄을 긋고 써야 하는 곳도 있다. 그러므로 각 대학별 특징을 파악하고, 미리 답안 작성 연습은 물론이고 작성할 때도 대학별로 금지하는 내용을 숙지하고 시험장에 가야 한다.

각 대학별 유의사항 사례

사례 1)

가. 답안은 한글로 작성하되, 글자수 제한은 없다.

나. 제목은 쓰지 말고 특별한 표시를 하지 말아야 한다.

다. 제시문 속의 문장을 그대로 쓰지 말아야 한다.

라. 반드시 본 대학교에서 지급한 필기구를 사용하여야 한다.

마. 수정할 부분이 있는 경우 수정도구를 사용하지 말고 원고지 교정법에 의하여 교정하여야 한다.

바. 본 대학교에서 지급한 필기구를 사용하지 않거나, 수정도구를 사용한 경우, 답안지에 특별한 표시를 한 경우, 또는 원고지의 일정분량 이상을 작성하지 않은 경우에는 감점 또는 0점 처리한다.

사례 2)

Ⅰ. 필요한 경우 한 개 또는 여러 개의 제시문을 선택하여 논의를 전개하고, 사용한 제시문은 꼭 참고문헌 형태로 표시하시오.

예) …[제시문 1-4].

예) …되며[제시문 2-4], …의 경우는 ~을 보여준다[제시문 2-1].

Ⅱ. [문제 1]부터 [문제 4]까지 문제 번호를 쓰고 순서대로 답하시오.

Ⅲ. 연필을 사용하지 말고, 흑색이나 청색 필기구를 사용하시오.

Ⅳ. 인적사항과 관련된 표현을 일절 쓰지 마시오.

Ⅴ. 문제당 배점은 동일함.

사례 3)

◇ 각 문제의 답안은 배부된 OMR 답안지에 표시된 문제지 번호에 맞춰 작성하시오.

◇ 각 문제마다 정해진 글자수(분량)는 띄어쓰기를 포함한 것이며, 정해진 분량에 미달하

거나 초과하면 감점 요인이 됩니다.
◇ 답안지의 수험번호는 반드시 컴퓨터용 수성 사인펜으로 표기하시오.
◇ 답안은 검정색 필기구로 작성하시오. (연필 사용 가능)
◇ 답안 수정시 원고지 교정법을 활용하시오. (수정 테이프 또는 연필지우개 사용 가능)
◇ 답안 내용 및 답안지 여백에는 성명, 수험번호 등 개인 신상과 관련된 어떤 내용, 불필요한 기표하면 감점 처리됩니다.

사례 4)
◆ 답안 작성 시 유의사항 ◆
□ 논술고사 시간은 90분이며, 답안의 자수 제한은 없습니다.
□ 1번 문항의 답은 답안지 1면에 작성해야 하고, 2번 문항의 답은 답안지 2면에 작성해야 합니다. 1, 2번을 바꾸어 작성하는 경우 모두 '0점 처리'됩니다.
□ 연습지는 별도로 제공하지 않습니다. 필요한 경우 문제지의 여백을 이용하시기 바랍니다.
□ 답안은 검정색 또는 파란색 펜으로만 작성하며 연필, 샤프는 사용할 수 없습니다.
□ 답안 수정은 수정할 부분에 두 줄로 긋거나 수정테이프(수정액은 사용 불가)를 사용해서 수정합니다.
□ 답안지에는 답 이외에 아무 표시도 해서는 안 됩니다.
□ 답안지 교체는 고사 시작 후 70분까지 가능하며, 그 이후는 교체가 불가합니다.

2. 제시문에 먼저 눈을 두지 말고 문제를 파악하라!!!

대학별 고사인 논술의 어려운 점은 시간의 제한이 있는 글쓰기 시험이라는 것이다. 자유롭게 잘 쓸 수 있는 내용일지라도 시간의 제한이 있으면 얘기가 달라진다. 특히 지금과 같이 각 대학별로 다양하게 등장하는 시험에 익숙하지 않은 수험생에게는 더 큰 부담으로 작용을 한다.

대학에서는 다양하게 제시문과 문제를 분포시킨다. 문제를 등장시키고 제시문이 등장하는 경우, 그림과 도표, 그래프 등과 같이 자료를 제시하고 제시문과 문제를 함께 등장시키는 경우, 제시문을 많이 등장시키고 마지막에 문제를 제시하는 경우 등... 이렇듯 다양한 문제에 시간의 적절한 활용은 대학별 고사의 실전에서는 당락을 결정하는 중요 요소이다.

이러한 실전적 논술에서 핵심은 바로 목적을 가지고 제시문의 읽기가 선행되어야 한다. 글 읽기의 핵심은 문제을 통해 논제를 구체적으로 파악하고 그 논제에 부합하게 제시문을 분석하는 것이다.

① 문제를 먼저 확인하라!! - 제시문을 읽고 문제를 보면 다시 긴 제시문을 또 읽어 시간을 낭비한다.
② 세부 논제 확인하라!! - 한 문제라도 그 문제 속에 다루는 논제는 여러 개가 될 수 있

다. 그 질문 내용을 파악하라. 그리고 요구한 논제에 맞게 글을 구성한다.
③ 전제적 요건 파악하라!! - 각 문제의 전제적 요건 및 글로 표현된 부연 설명 등이 중요한 키워드가 될 수 있다.

V. 덕성여자대학교 기출

1. 2025학년도 덕성여대 모의 논술

※ 다음의 제시문을 읽고 문제에 답하시오.

<가>

러시아의 대문호 톨스토이는 말년에 자신만의 독특한 예술론을 펼친다. 그는 예술을 진짜 예술과 가짜 예술로 구분한다. 그는 진짜 예술은 누구에게나 쉽고 진실하게 다가갈 수 있어야 하므로 예술에서 외형적인 아름다움보다 중요한 것은 많은 이들을 공감시키는 감염력이 라고 주장한다. 위고(Hugo, V. M.)나 디킨스(Dickens, C. J. H.)의 소설, 밀레(Millet, J. F.)의 그림 등이 그 예이다. 그가 최고로 찬양하는 작품은 『성경』 복음서의 비유와 민간 전설과 동요 등이다. 그에 따르면 아무리 훌륭하다고 평가받는 작가와 작품이라고 하더라도 특정 계층의 사람들만이 이해하고 공감하는 예술은 진짜가 아닌 가짜 예술이다. 톨스토이는 진짜 예술을 좋은 예술과 나쁜 예술로 다시 한번 구분한다. 좋은 예술은 사람들을 결합시킨다. 이는 모두가 신 안에서 하나라는 인류애를 바탕으로 고립과 적대감에서 벗어나 하나가 되도록 하는 예술이다. 반면, 나쁜 예술은 가난한 사람과 부유한 사람들 간의 차별과 갈등을 조장하거나 분노와 공포, 욕망, 세상에 대한 근심을 부추기며 사람들의 결합을 방해한다.

<나>

㉠ 엘리멘탈(Elemental) 프로젝트는 2004년 칠레 도심을 30년간 불법 점거한 빈민들을 위해 고안해 낸 공공 주택 설계이다. 칠레의 건축가 아라베나(Aravena, A.)는 도심지의 비싼 땅값과 제한된 공적 자금을 고려해 '전체 집의 절반만 완성한' 집을 공급했다. 그는 저소득층을 위한 기본 주택을 지으면서 거주자들이 추후 손쉽게 증축할 수 있는 공간을 남겨 두는 독특한 설계를 고안했다. 절반만 지었기 때문에 당연히 건축 비용은 절감되었다. 나머지 절반을 증축이 가능한 빈 공간으로 남겨 두었다. 주민들은 값싼 집에 계속 살면서 동네를 떠나지 않아도 되었고, 여건이 나아지면 자신이 원하는 만큼 빈 공간을 증축할 수 있었다. 이런 건축 설계를 통해 공동체가 그대로 유지되었다.

미국 세인트루이스에서 진행된 **㉡푸르이트 아이고(Pruitt-Igoe) 공공 주택 프로젝트**는 저소득층 주거 문제 해결, 인구 과밀 해소, 백인과 흑인 인구 통합 등을 목표로 시정부의 주도로 진행된 대단위 프로젝트이다. 1954년 흑인 저소득층의 주거지역이었던 시의 서부지역의 슬럼가는 11층의 공공아파트 33동에 12,000명이 거주할 수 있는 '푸르이트 아이고'로 재탄생했다. 많은 이들은 이 프로젝트로 인한 도시의 외형적 변화에 열광했고, 20세기 주택단지의 새로운 모델이라며 이를 칭송했다. 그러나 결과적으로 이 프로젝트는 도시의 황폐화와 사회적 붕괴의 상징이 되었다. 우선, 주택단지에 입주했던 백인들은 그 곳의 생활에 적응하지 못해 떠나버렸고, 푸르이트 아이고는 다시 흑인 거주 지역으로 전락하였다. 고층 건물 중심의 설계는 기존 주민이었던 흑인 저소득층의 생활방식을 고려하지 않았다. 이는 주민들 간의 소통을 어렵게 만들어 공동체 의식을 저해하였다. 마지막으로 지방 정부와 연방 정부 간의 협력 부족과 무관심, 주민들의 의견을 반영하지 않은 일방적인 정책 집행은 공동체의 붕괴로 이어졌다.

<다>

이것은 슬프게 시작하여 슬프게 끝나는 이야기다.

여기 변화 없는 삶이 무척이나 지루하고 고단하게 느껴지는 한 남자가 있다. 어느 날 그는 문득, '왜 침대를 그림이라고 하면 안 되지?' 하고 생각하고는 속으로 미소를 지었다. 그는 껄껄껄 웃기 시작하였다. 이웃집 방에서 벽을 두드리며 "거 조용히 좀 합시다."하고 외칠 때까지 그는 웃어 제꼈다. "자 이제 뭔가가 변화한다." 하고 그는 외쳤다. 그러면서 그는 이제부터 침대를 '그림'이라고 부르기로 하였다. "피곤한데, 이제 그림 속으로 들어가야겠다."하고 그는 말했다.

그리고 그는 아침마다 오랫동안 그림 속에 누워서 이제 의자를 무어라 부르면 좋을까 하고 곰곰이 생각하였다. 그는 의자를 '자명종'이라고 부르기로 하였다. 그 남자는 이 일에 재미를 느꼈다. 그는 하루 종일 이것을 연습하였으며 새로운 단어들을 갖다 붙였다. 이제 모든 것들에 새 이름이 붙여졌다. 그는 이제 더 이상 남자가 아니라 발이었다. 그리고 발은 아침이었고 아침은 남자였다.

그 늙은 남자는 파란 노트를 사서 거기에다가 새로운 단어들을 가득 써 내려 갔다. 그는 이제 할 일이 무척 많아진 셈이다. 사람들은 이제 그를 거리에서는 거의 찾아볼 수 없을 정도가 되었다. 그는 이 모든 물건들을 위한 새로운 명칭들을 외웠으며 그러면서 그것들의 진짜 이름은 차츰차츰 잊어버리게 되었다. 그는 이제 오로지 그만이 알고 있는 **<u>ⓒ새로운 언어</u>**를 가지게 된 것이다. 그는 가끔가다가 새로운 언어로도 꿈을 꾸게 되었다. 그는 학창 시절에 배운 노래들을 자신의 언어로 번역하여 그것을 혼자서 조용히 불러보기도 하였다.

그런데 그 번역일은 그에게 무척이나 힘든 일이 되고 말았다. 그는 자신의 옛 언어를 거의 대부분 잊어버리게 되었던 것이다. 그래서 그는 **<u>ⓔ원래의 진짜 단어들</u>**을 자기의 파란 노트에서 찾아보지 않으면 안 되었다. 그러자 그는 사람들과 이야기하는 것이 두려워졌다. 그는 사람들이 어떤 물건들을 어떻게 부르는지 오랫동안 되짚어 보아야만 했다. 급기야 그 남자는 사람들이 이야기하는 것을 들을 때면 웃지 않을 수 없게 되는 지경에 이르렀다. 왜냐하면 회색의 망토를 걸친 이 남자는 사람들이 하는 말을 더 이상 이해할 수가 없었기 때문이다.

그런데 그것은 그리 심각한 문제는 아니었다. 더욱 심각한 문제는, 그 사람들이 그를 더 이상 이해할 수 없다는 사실이다. 그리고 그 때문에 그는 더 이상 말을 하지 않았다. 그는 침묵하였다. 그는 단지 혼자서만 이야기하였고, 더 이상 사람들에게 인사조차 하지 않았다.

- 페터 빅셀, 『책상은 책상이다』

【문제 1】 <가>의 관점이 예술을 넘어 적용될 수 있다고 가정할 때, <나>와 <다>의 ㉠~㉣을 '진짜'와 '가짜'로 분류하여 논술하시오. 단, '진짜'의 경우에는 '좋은' 것인지 '나쁜' 것인지도 함께 논술하시오. (500자±25)

※ **다음의 제시문을 읽고 문제에 답하시오.**

<가>

철학자 제러미 벤담이 처음 제안한 파놉티콘은 중앙에 원형 감시탑이 있고 그 둘레를 반지처럼 감옥이 둘러싸고 있어서 중앙탑에서 모든 감옥을 내려다보며 감시할 수 있다. 반면 감옥에서는 감시탑을 확인할 수 없어서 시선의 불평등이 일어나는 구조이다. 결국 감시탑에 감독이 없더라도 죄수들은 알 수 없기 때문에 항상 감시하지 않더라도 감옥을 지배할 수 있어 최소의 노력으로 최대의 통제와 감시 효과를 거둘 수 있는 장치이다. 정보 사회의 현대인은 모든 곳에 시선을 집중하며 내 행동을 감시하는 CCTV나 휴대 전화 위치 감시 장치로 인해 우리도 파놉티콘 감옥 안의 죄수가 아닌지 의심하지 않을 수 없다. 그나마 CCTV를 비롯한 첨단기기가 범죄자를 검거하거나 범죄 예방 효과 가 있다고는 하지만, 역으로 생각하면 모든 사람을 범죄 대상자나 행동 불량자로 본다는 점에서 불쾌감은 여전하다.

역파놉티콘 현상이나 시놉티콘(syn 동시에 + opticon 들여다보다) 현상이 나타나서 파놉티콘의 문제를 상쇄하기도 한다. 권력이 다수의 사람을 감시하는 것이 아니라 다수의 사람이 권력을 감시하는 현상인 역파놉티콘이나 다수의 사람들이 다양한 사회 현상을 바라보는 현상인 시놉티콘으로 역감시를 할 수 있기 때문이다. 즉, 시놉티콘은 감시당하던 사람들도 동시에 감시자를 볼 수 있게 만들었다는 상호 감시의 개념이다.

- 출처: 구정화, 『청소년을 위한 사회학 에세이』

<나>

2011년 초 튀니지의 재스민 혁명의 시발은 누리 소통망(SNS)이었다. 당시 노점상에서 청과물을 팔던 한 청년의 분신자살 소식은 누리 소통망을 통해 급속히 튀니지 전역으로 퍼졌다. 튀니지 대통령 일가의 부패를 적나라하게 폭로한 위키리크스의 외교 문서가 튀니지 민주화 운동가들이 만든 '튀니리크스'를 통해 퍼져 나갔고 시위 현장 소식이 누리 소통망을 통해 전해질 때마다 성난 군중은 계속 불어났다.

튀니지 정부의 인터넷 검열 시스템도 누리 소통망을 통제하지 못했고 전국으로 퍼진 반정부 시위는 결국 23년의 독재 체제를 무너뜨렸다.

- 『아이뉴스24』, 2011. 12. 22.

<다>

사물 인터넷과 스마트 홈의 시대에 접어들면서 다양한 가전제품들이 컴퓨팅 기기로써 인터넷에 연결되고 있다. 단순히 음식을 보관하는 기능을 하던 냉장고가 인터넷에 연결되면서 보관된 식재료에 근거한 조리법을 제시하고, 음식의 유통 기한을 알려 주는 등 우리의 생활을 더 편리하게 만들어 주고 있다. 지속적인 소프트웨어의 업그레이드로 이러한 냉장고의 기능은 한층 개선될 것이다.

하지만 냉장고가 인터넷에 연결되는 순간, 다른 컴퓨팅 기기와 마찬가지로 보안에 취약점을 갖게 된다. 냉장고를 비롯해서 사물 인터넷에 연결되는 대부분의 스마트 가전 기기들은 아이디(ID)나 비밀번호가 없으며, 제품 자체에 보안 기능이 아예 없는 것도 있다. 미국의 보안 서비스 업체 '프루프 포인트'는 2014년 한 해 동안 약 75만 건의 스팸 메일이 인터넷에 연결된 텔레비전과 냉장고 등을 통해 발송되었다고 발표했다. 가전제품이 시간을 갱신하기 위해 서버로부터 데이터를 받는다는 점을 이용하여 가전제품을 감염시키고, 감염된 가전제품을 통해 스팸 메일을 발송하였던 것이다.

<라>

인터넷과 모바일 같은 정보 통신 기술을 이용해 국민이 정치 과정에 직접 참여하는 민주주의를 전자 민주주의라고 한다. 국민은 인터넷을 이용해서 구청이나 시청은 물론 국회의원, 대통령에게도 자신의 생각과 의견을 전달할 수 있게 되었다. 정치가도 자신의 정치적 신념이나 정책을 알리기 위해 홈페이지를 만들고 국민에게 자신이 한 일을 알릴 수 있게 되었다. 유권자는 인터넷 토론 게시판에서 서로 정치적 의견을 나누고, 인터넷이나 모바일을 이용해 투표를 할 수 있다.

<마>

우리나라 헌법 제 37조 제2항에 의하면 국민의 자유와 권리는 국가 안전 보장, 질서 유지 또는 공공복리를 위하여 필요한 경우에 법률로써 제한할 수 있다고 명시하고 있다. 국가 안전 보장, 질서 유지, 공공복리의 의미를 구체적으로 살펴보면 다음과 같다.

- 국가 안전 보장: 국가 안전 보장은 국가의 존립, 헌법의 기본 질서의 유지 등을 포함하는 개념으로서 결국 국가의 독립, 영토의 보전, 헌법과 법률의 기능, 헌법에 의하여 설치된 국가 기관의 유지 등의 의미로 이해될 수 있다. 실정법을 중심으로 보면 '국가 보안법'이 국가 안전 보장을 이유로 개인의 기본권을 제한하는 대표적인 법률이라고 할 수 있다.
- 질서유지: 질서 유지의 개념을 넓게 해석하는 경우에는 국가 질서나 민주적 기본 질서가 포함될 수 있지만, 국가 질서나 민주적 기본 질서는 국가의 안전 보장에 속하므로 여기서의 질서 유지는 협의로 보아 공공의 안녕과 공동체의 평화를 위하여 개인 혹은 집단 간의 조화로운 생활을 보장하기 위한 규칙의 형성과 유지라고 이해될 수 있다.
- 공공복리: 공공복리 개념은 개인적 이익을 초월하여 국가적 차원에서 결정되는 전체적 이익인 국가 절대주의적 공공복리 개념이 아니라 개개인의 사적 이익에 비해 우월하면서 개개인에게 공통된 이익을 의미하는 국민 공동의 공공복리 개념으로 보아야 한다.

【문제 2】 제시문 <가>에 나타난 파놉티콘과 시놉티콘(혹은 역파놉티콘)의 개념을 요약하고, <나>, <다>, <라>, <마>의 지문을 제시문 <가>의 관점들에 따라 분류한 뒤, 이유를 논증하시오. (500자±25)

계 열: 인 문 계 열

성 명

지 원 학 과

수 험 번 호

생년월일(예:041123)

유 의 사 항

1. 답안지는 **흑색** 으로 원고지 사용법에 따라 작성하여야 합니다.
2. 수험번호와 생년월일을 숫자로 쓰고 컴퓨터용 사인펜으로 ● 표기하여야 합니다.
3. **답안의 작성영역**을 벗어나지 않도록 각별히 유의 바라며, 인적사항 및 답안과 관계없는 표기를 하는 경우 **결격처리** 될 수 있습니다.

※ 감독관 확인란

【1번】 답안 **(반드시 해당 문제와 일치하여야 함)**

이 줄 아래에 답안을 작성하거나 낙서할 경우 판독이 불가능하여 채점 불가

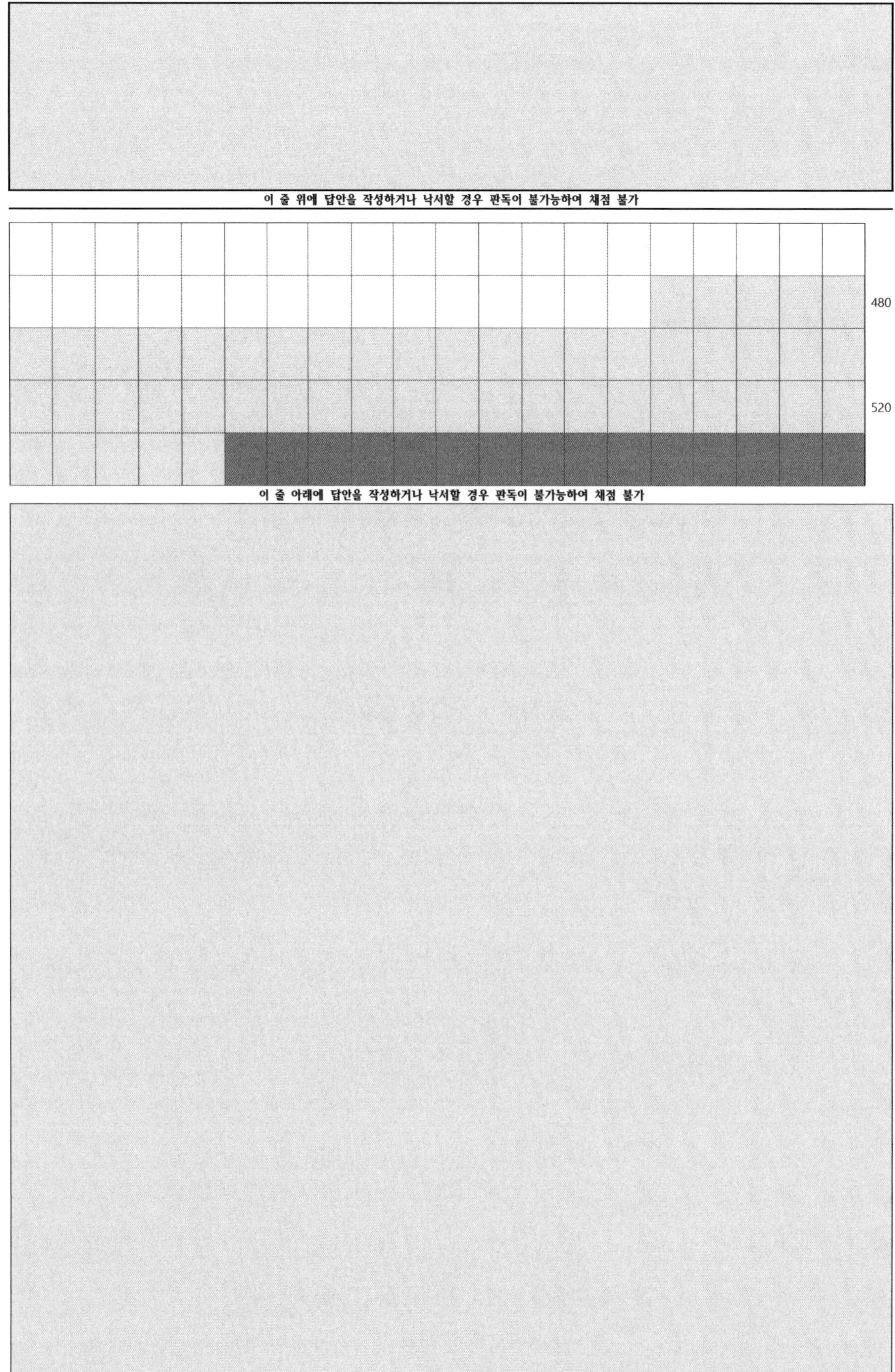

이 줄 위에 답안을 작성하거나 낙서할 경우 판독이 불가능하여 채점 불가
480
520
이 줄 아래에 답안을 작성하거나 낙서할 경우 판독이 불가능하여 채점 불가

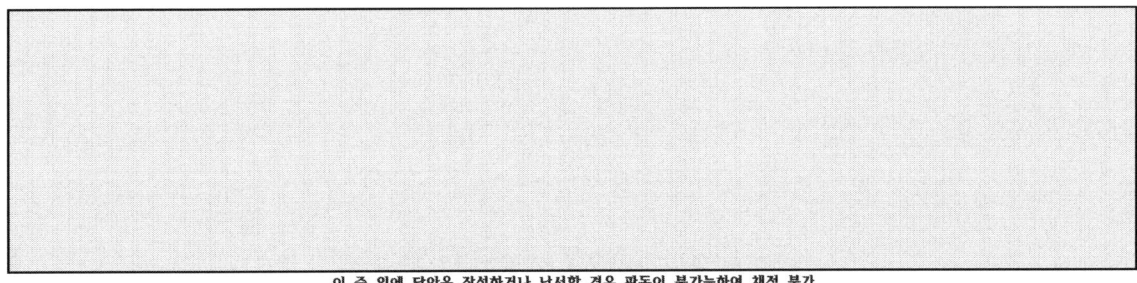

이 줄 위에 답안을 작성하거나 낙서할 경우 판독이 불가능하여 채점 불가

【2번】 답안 (반드시 해당 문제와 일치하여야 함)

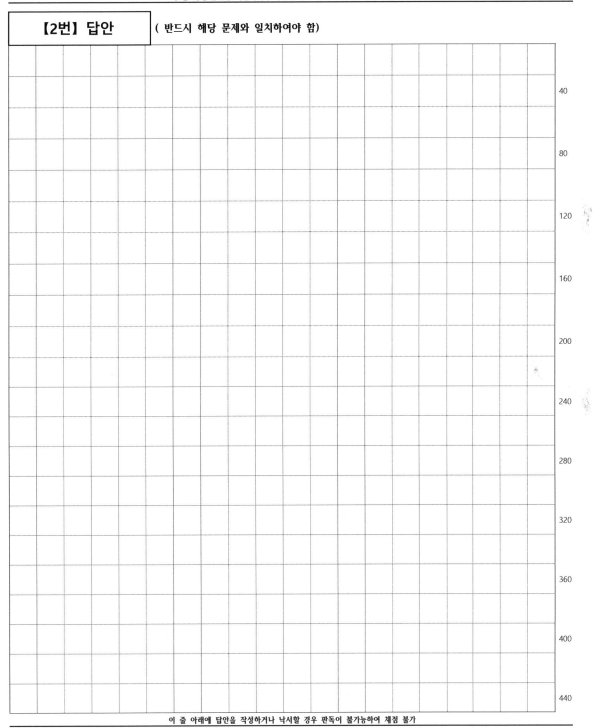

이 줄 아래에 답안을 작성하거나 낙서할 경우 판독이 불가능하여 채점 불가

이 줄 위에 답안을 작성하거나 낙서할 경우 판독이 불가능하여 채점 불가

480

520

이 줄 아래에 답안을 작성하거나 낙서할 경우 판독이 불가능하여 채점 불가

2. 2024학년도 덕성여대 수시 논술

※ 다음의 제시문을 읽고 문제에 답하시오.

<가>

맹자에 따르면, 마음과 감각 기관의 활동 방식은 정반대이다. 귀나 눈과 같은 '작은 몸'은 수동적이다. '작은 몸'은 외부의 자극이 주어지면 그대로 끌려간다. 게다가 '작은 몸'이 외부 대상을 향해 움직이는 활동, 즉 감각적 욕망의 충족 여부는 행위자가 전적으로 결정할 수 없다. 외부 대상을 얻는 일은 법적 제약이나 사회적 규범과 같은 정해진 절차를 따라야 할 뿐 아니라 개인의 의지로는 어떻게 할 수 없는 상황들에 영향을 받을 수 있기 때문이다. 그러나 마음은 이와는 반대로 움직인다. 마음은 외부에 의해 추동되는 것이 아니라 하늘이 부여한 인간의 본성에 근거를 두고 활동한다. 따라서 마음의 활동은 감각 기관의 활동과 달리 행위자 자신의 의지에 따라 결과를 얻게 되어 있다.

맹자는 '큰 몸'이 먼저 서게 되면 '작은 몸'이 '큰 몸'을 해치지 못한다고 말한다. 더 나아가 맹자는 감각적인 욕구를 충족하는 일이 때로는 단지 '작은 몸'을 위한 일에 그치지 않는다고 말한다. 먹고 마시는 일과 같은 감각적 욕구와 관련된 활동은 '작은 몸'을 기르는 일이다. 그러나 '큰 몸'이 먼저 서 있는 상황에서라면, 감각적 욕구와 관련된 활동은 단지 '작은 몸'만을 위한 일이 아니다. 먹고 마시는 일을 즐긴다 하더라도 의롭고 예에 맞게 하려고 노력한다면 그 일은 '작은 몸'뿐 아니라 '큰 몸'을 위하는 일이기도 하다. 따라서 이런 경우에 감각적 욕구와 관련된 '작은 몸'의 활동은 '큰 몸'의 활동에 종속되어 있다고 말할 수 있다.

'작은 몸'인 감각 기관이 외부 대상에 끌려가 무절제하게 욕망에 탐닉하게 되는 경우 그 책임은 마음에 있다. 이는 각 개인이 저지르는 잘못과 그 책임의 소재를 말해준다. 언뜻 보기에 각 개인이 저지르는 잘못은 감각 기관의 활동으로 발생하는 것처럼 보이지만, 실제로는 마음이 제 역할을 하지 않았기 때문에 생겨난다. 우리 몸에 무언가 있기 때문에 잘못을 저지르는 것이 아니라 마음이 무언가를 하지 않기 때문에 잘못을 저지르게 되는 것이다. 마음이 제 역할을 해 나갈 때, 마음은 눈, 귀, 코, 혀, 피부 등의 오관(五官)과 같은 몸의 다른 부분들을 이끌어 각 개인을 책임감 있는 존재로 형성해 나가게 한다. 마음의 활동에 감각 기관의 활동도 따라가게 되어 있는 것이다. 따라서 마음의 뜻(지향)을 붙잡는 일은 수양에서 중요한 과제가 된다.

장원태, 「선한 뜻을 이끄는 나의 '큰 몸」부분

<나>

내가 처음 요동(遼東)에 들어섰을 때 바야흐로 한여름이라 뙤약볕 속을 가는데, 갑자기 큰 강이 앞을 가로막으면서 시뻘건 물결이 산더미같이 일어나 끝이 보이지 않았다. 이는 아마 천리 너머 먼 지역에 폭우가 내린 때문일 터이다.

강물을 건널 적에 사람들이 모두 고개를 쳐들고 하늘을 보기에, 나는 그 사람들이 고개를 쳐들고 하늘을 향해 속으로 기도를 드리나 보다 하였다. 그런데 한참 있다가 안 사실이지만, 강을 건너는 사람이 물을 살펴보면 물이 소용돌이치고 용솟음치니, 몸은 물살을 거슬러 올라가는 듯하고 눈길은 물살을 따라 흘러가는 듯하여, 곧 어지럼증이 나서 물에 빠지게 된다. 그러니 저 사람들이 고개를 쳐든 것은 하늘에 기도를 드리는 것이 아니요, 물을 외면하고 보지 않으려는 짓일 뿐이었다. 또한 잠깐 새에 목숨이 왔다 갔다 하는 판인데 어느 겨를에 속으로 목숨을 빌었겠는가.

이와 같이 위태로운데도, 강물 소리를 듣지 못하였다. "요동 벌판이 평평하고 드넓기 때문에 강물이 거세게 소리를 내지 않는 것이다."라고 모두들 말하였다. 그러나 이는 강에 대해 잘 모르고 한 말이다. 요하(遼河)가 소리를 내지 않은 적이 없건만, 단지 밤중에 건너지 않아서 그랬을 뿐이다. 낮에는 물을 살펴볼 수 있는 까닭에 눈이 오로지 위태로운 데로 쏠리어, 한창 벌벌 떨면서 두 눈이 있음을 도리어 우환으로 여기는 터에, 또 어디서 소리가 들렸겠는가? 그런데 지금 나는 밤중에 강을 건너기에 눈으로 위태로움을 살펴보지 못하니, 위태로움이 오로지 듣는 데로 쏠리어 귀로 인해 한창 벌벌 떨면서 걱정을 금할 수 없었다.

나는 마침내 이제 도(道)를 깨달았도다! 마음을 차분히 다스린 사람에게는 귀와 눈이 누를 끼치지 못하지만, 제 귀와 눈만 믿는 사람에게는 보고 듣는 것이 자세하면 할수록 병폐가 되는 법이다.

방금 내 마부가 말에게 발을 밟혔으므로, 뒤따라오는 수레에 그를 태웠다. 그러고 나서 말의 굴레를 풀어 주고 말을 강물에 둥둥 뜨게 한 채로, 두 무릎을 바짝 오그리고 발을 모두어 말 안장 위에 앉았다. 한번 추락했다 하면 바로 강이다. 나는 강을 대지처럼 여기고 강을 내 옷처럼 여기고, 강을 내 몸처럼 여기고, 강을 내 성정(性情)처럼 여기었다. 그리하여 마음속으로 한번 추락할 것을 각오하자, 나의 귓속에서 마침내 강물 소리가 없어지고 말았다. 그리고 무려 아홉 번이나 강을 건너는 데도 아무런 걱정이 없어, 마치 안석 위에 앉거나 누워서 지내는 듯하였다.

박지원, 「일야구도하기(一夜九渡河記)」부분

<다>

누가 하늘을 보았다 하는가
누가 구름 한 송이 없이 맑은
하늘을 보았다 하는가.

네가 본 건, 먹구름
그걸 하늘로 알고
일생을 살아갔다.

네가 본 건, 지붕 덮은
쇠 항아리,
그걸 하늘로 알고
일생을 살아갔다.
닦아라, 사람들아
네 마음속 구름
찢어라, 사람들아,
네 머리 덮은 쇠 항아리.

아침 저녁
네 마음속 구름을 닦고
티 없이 맑은 영원(永遠)의 하늘

볼 수 있는 사람은
외경(畏敬)을
알리라

아침 저녁
네 머리 위 쇠 항아릴 찢고
티 없이 맑은 구원(久遠)의 하늘
마실 수 있는 사람은

연민(憐憫)을
알리라
차마 삼가서
발걸음도 조심
마음 아모리며.

서럽게
아 엄숙한 세상을
서럽게
눈물 흘려

살아가리라
누가 하늘을 보았다 하는가,
누가 구름 한 자락 없이 맑은
하늘을 보았다 하는가.

— 신동엽, 「누가 하늘을 보았다 하는가」

【문제 1】 제시문 <가>의 논지를 토대로 제시문 <나>와 <다>를 설명하시오. (500±25자) [100점]

※ **다음의 제시문을 읽고 문제에 답하시오.**

<가>

법치주의란 국민의 대표 기관인 의회에서 제정한 법에 따른 통치 방식을 의미한다. 법치주의가 강조된 것은 근대 시민 혁명 이후이다. 초기의 법치주의는 법 자체의 내용과 목적보다는 의회 제정이라는 형식적인 합법성이 강조되었다. 이에 따라 법의 제정 주체와 절차의 합법성과 같은 통치의 형식을 강조하는 법치주의가 나타났다. 이러한 법치주의는 통치의 합법성만 지나치게 강조한 나머지 인권을 침해하고 독재를 정당화하는 법이 제정되는 문제가 발생하기도 하였다. 오늘날에는 형식적인 합법성뿐만 아니라 법의 목적과 내용도 정의와 헌법 이념에 실질적으로 부합해야 법이 정당성을 가진다는 법치주의가 강조된다. 즉 법이 의회에서 민주적인 절차에 따라 제정되어야 할 뿐만 아니라, 그 법의 목적과 내용이 인간의 존엄성과 자유, 평등의 보장과 정의의 실현이라는 헌법 이념에 부합해야 한다는 것이다.

<나>

경찰은 며칠 뒤 발표되는 개정 경범죄 처벌법의 시행을 앞두고, 국민들의 조심을 당부하기 위해 3월 20일까지를 제1단계 계몽 운동 기간으로 정해 경범 정화 운동을 편다. 경범죄 위반자는 즉결 심판에 회부한다. 경찰은 앞으로 11개 항목을 특별 단속할 예정인데, 이 법 시행을 앞두고 적용 범위 등 조심해야 할 일을 살펴본다.

제 1조 44호: 공중의 눈에 뜨이는 장소에서 신체를 과도하게 노출하거나 안까지 투시되는 옷을 착용하거나 또는 치부를 노출하여 타인에게 혐오감을 주게 한 자
제 1조 49호: 성별을 알아볼 수 없을 정도의 장발을 한 남자, 또는 미풍양속을 해하는 저속한 옷차림을 하거나 장식물을 달고 다니는 자

『경향신문』(1973.3.9.) 수정 인용

박정희 정부는 1973년 3월 경범죄 처벌법을 개정하여 귀를 덮을 정도로 머리가 긴 장발과 무릎 위 17cm 이상인 미니스커트를 입은 사람을 경찰이 단속할 수 있게 하였다. 이에 따라 경찰은 가위와 자를 가지고 다니면서 머리가 긴 사람을 적발하여 현장에서 머리를 깎았고, 미니스커트를 입은 사람을 단속하였다.

<다>

미국에서는 노예 제도가 폐지된 후에도 흑인에 대한 차별을 지속하였다. 특히 남부 지역에서 인종 차별 문제가 심각했는데, 이러한 차별은 1870년대부터 1960년대 초까지 시행된 소위 「짐 크로(Jim Crow)법」이라고 불리는 법들에 의해 정당화되었다. 「짐 크로법」은 공공 기관 등에서 인종을 분리하여 흑인을 합법적으로 차별할 수 있게 한 여러 가지 법들을 가리킨다. '짐 크로'는 어리숙한 흑인을 희화한 쇼에 등장하

는 인물의 이름으로부터 유래했다. 인종 분리와 차별을 제도화한 법들로 인해 흑인은 백인과 동등하게 교육을 받을 수 없었고, 선거에 참여하지 못했을 뿐만 아니라 버스나 화장실 등 일상생활 공간에서조차 차별을 받았다.

흑인들은 「짐 크로법」에 따른 통치에 저항하였다. 1896년 호머 플래시(Plessy, H.)는 열차의 백인 차량에 탑승하여 흑인 차량으로 이동하라는 명령을 거부하였다. 이 사건이 계기가 되어 인종을 분리하고 차별하는 법이 연방대법원의 심사를 받게 되었지만, 연방 대법원은 '분리하되, 평등하면' 합헌이라는 판결을 내림으로써 차별을 정당화하였다.

하지만 흑인들뿐 아니라 다수의 백인들도 미국의 관할권에 속한 모든 사람은 미국의 시민이며, 피부색에 의해 투표권이 제한되어서는 안 된다고 규정한 헌법의 정신이 구현되기를 바라며 지속해서 인종 차별 반대 운동을 벌였다. 이러한 노력을 바탕으로 미국에서는 1964년 「시민권법」, 1965년 「투표권법」이 제정되었고, 「짐 크로법」은 역사 속으로 사라졌다.

『연합뉴스』(2015.6.23.)

<라>

야간 옥외 집회를 원칙적으로 금지하고 부득이한 경우 관할 경찰서장의 허가를 받도록 한 「집회 및 시위에 관한 법률」 제10조는 헌법에 위배된다는 헌법 재판소의 결정이 나왔다. 헌법 재판소는 "해가 뜨기 전이나 해가 진 후라는 광범위하고 가변적인 시간대의 집회를 금지한 것은 직장인, 학생 등이 사실상 집회에 참가할 수 없도록 해 헌법이 보장하는 집회의 자유를 실질적으로 박탈하는 결과를 초래한다."라고 하였으며, 또한 "야간 옥외 집회를 할 때 관할 경찰서장의 허가를 받도록 한 것은 언론·출판에 대한 검열과 집회에 대한 허가를 금지하는 헌법 제21조 제2항에 정면으로 위반된다."라며 해당 법률 조항이 헌법에 합치하지 않는다고 결정하였다.

『동아일보』(2009.9.25.)

<마>

시민 불복종은 시민 참여의 한 형태로, 정의롭지 못한 법을 개정하거나 정부 정책을 변혁하려는 목적으로 행하는 의도적인 위법 행위이다. 시민 불복종을 하는 사람은 자신이 생각하는 정의에 관한 규범적·윤리적 근거를 널리 알리기 위해 법을 공개적·의식적으로 위반한다.

시민 불복종은 자연법이나 양심 등의 도덕률에 의해 지지된다. 인간이 만든 실정법은 상위의 자연법이나 도덕률을 바탕으로 해야 하는데, 만약 이에 위배될 때 시민 불복종이 요구될 수 있다는 것이다. 특히 어떤 법이 인간의 존엄성이나 사회 정의를 훼손하는 경우 이러한 법을 시정하기 위한 노력은 정당하다고 본다.

【문제 2】 제시문 <가>에 나타난 법치주의를 바라보는 두 가지 관점을 요약하고, 각각의 관점에 해당하는 사례를 <나>, <다>, <라>, <마>에서 선정하여 그 근거를 논술하시오. (500±25자) [100점]

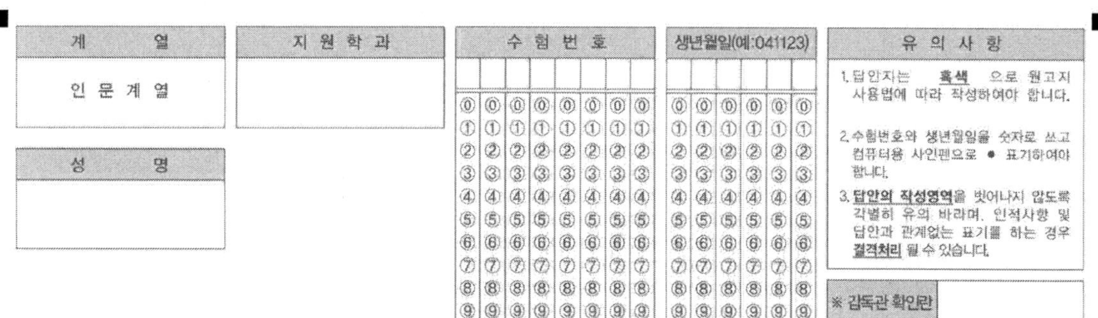

【1번】 답안 (반드시 해당 문제와 일치하여야 함)

40
80
120
160
200
240
280
320
360
400
440

이 줄 아래에 답안을 작성하거나 낙서할 경우 판독이 불가능하여 채점 불가

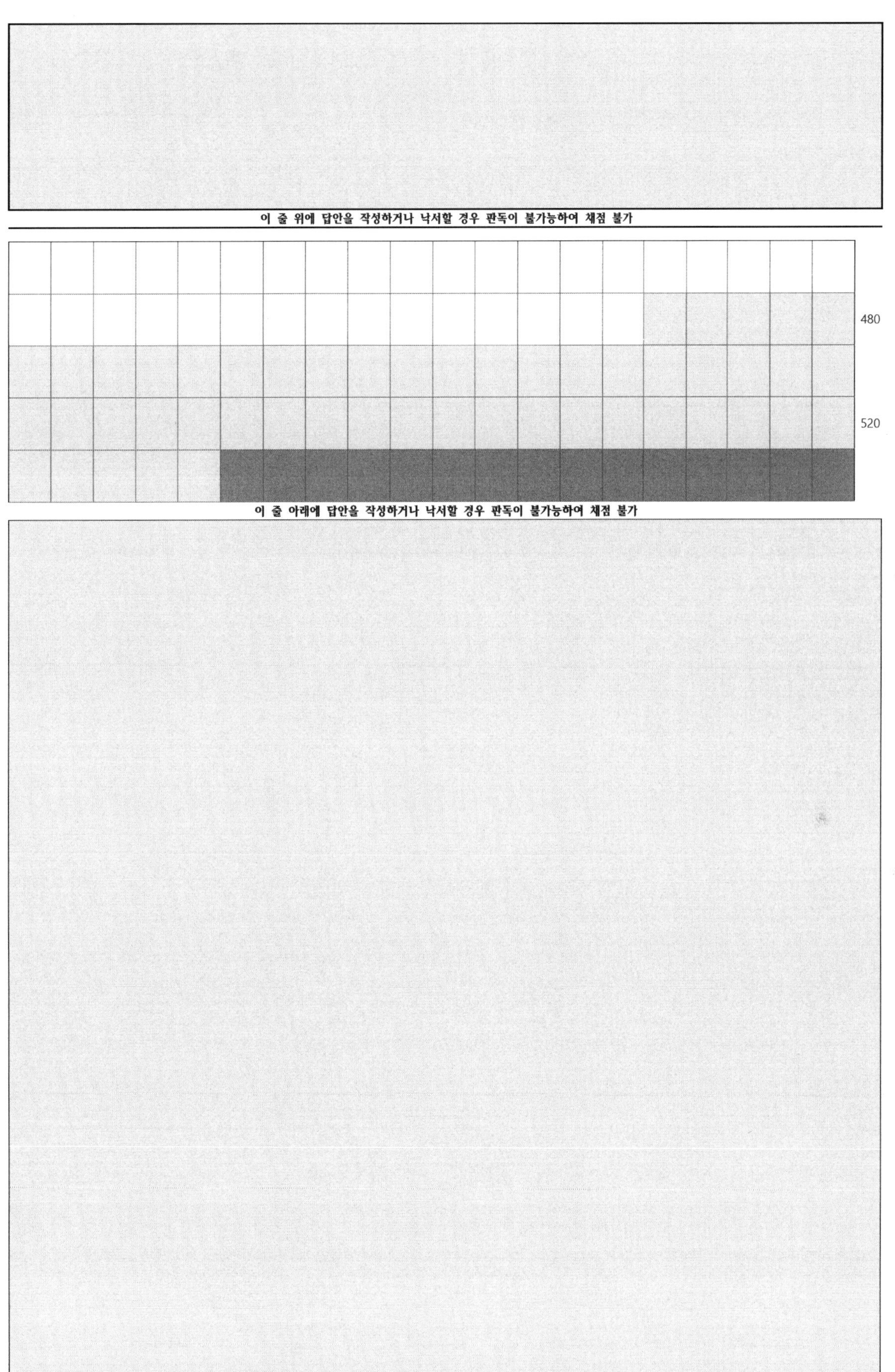
이 줄 위에 답안을 작성하거나 낙서할 경우 판독이 불가능하여 채점 불가
480
520
이 줄 아래에 답안을 작성하거나 낙서할 경우 판독이 불가능하여 채점 불가

이 줄 위에 답안을 작성하거나 낙서할 경우 판독이 불가능하여 채점 불가

【2번】 답안 (반드시 해당 문제와 일치하여야 함)

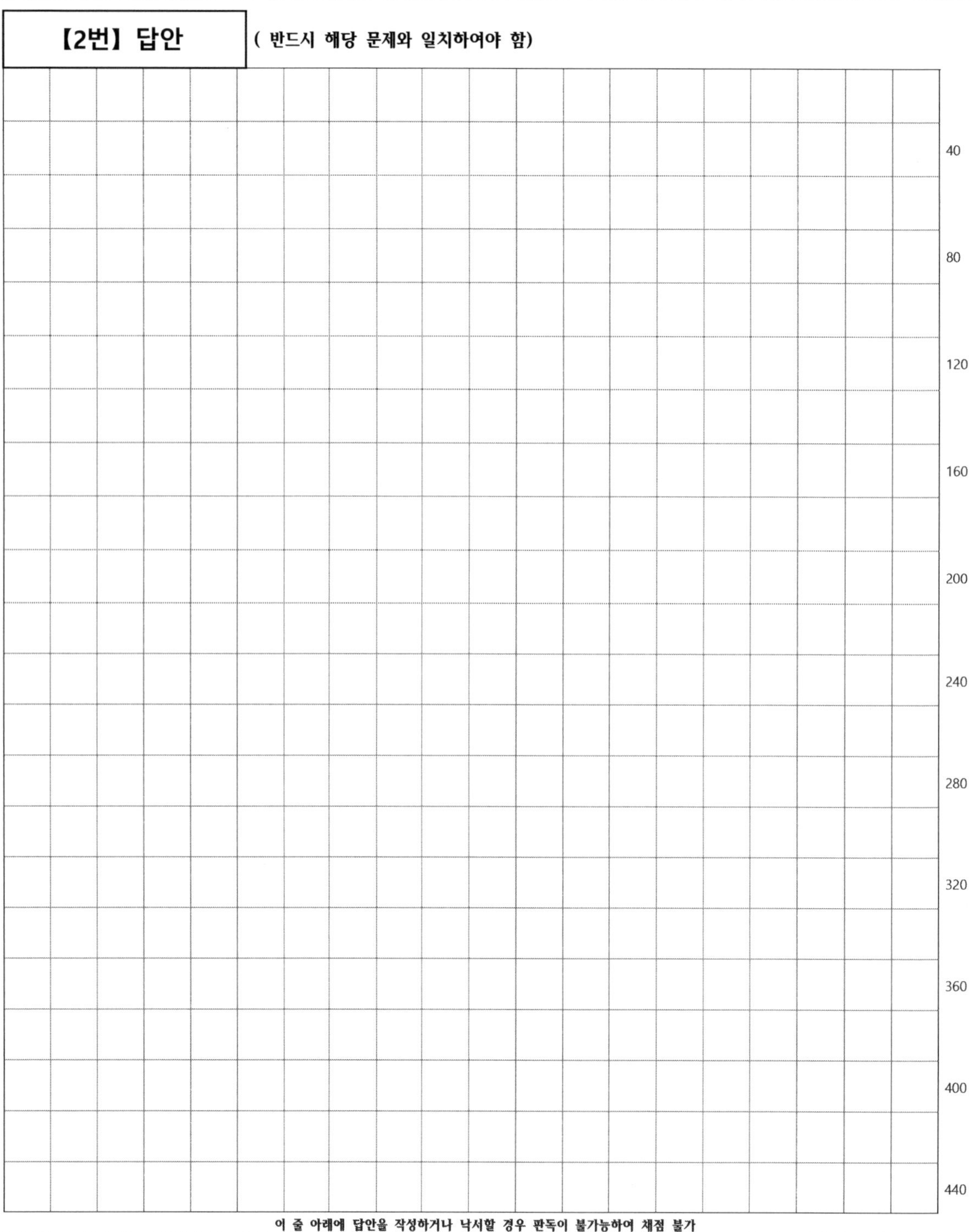

이 줄 아래에 답안을 작성하거나 낙서할 경우 판독이 불가능하여 채점 불가

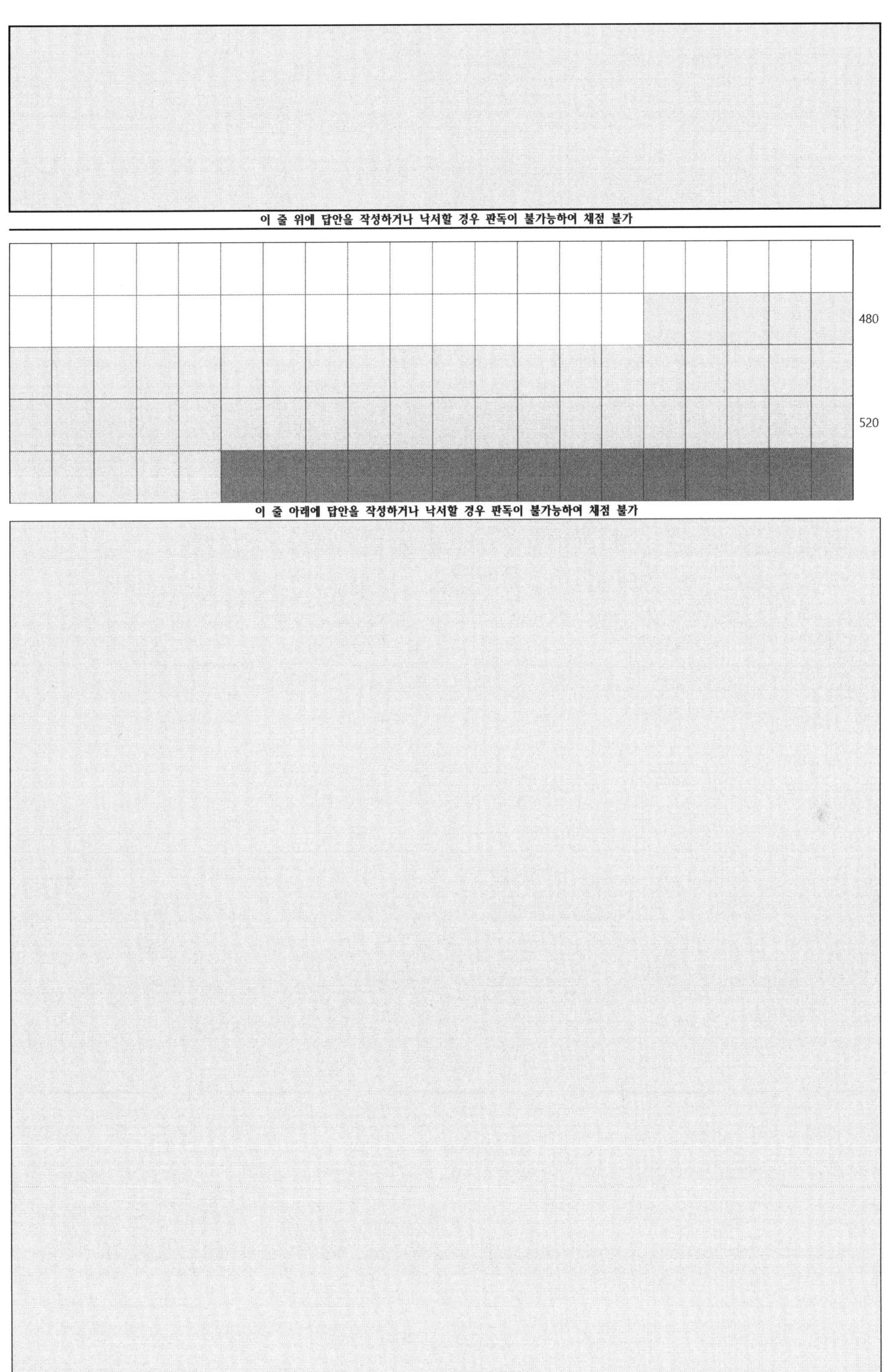
이 줄 위에 답안을 작성하거나 낙서할 경우 판독이 불가능하여 채점 불가
480
520
이 줄 아래에 답안을 작성하거나 낙서할 경우 판독이 불가능하여 채점 불가

3. 2024학년도 덕성여대 모의 논술

※ 다음 제시문을 읽고 문제에 답하시오.

<가>

크레온: 우리를 지켜 주는 것은 조국 땅이며, 조국이 무사히 항해해야만 우리가 진정한 친구를 사귈 수 있음을 나는 잘 알고 있소. 에테오클레스는 우리 도시를 위하여 싸우다가 전사하였으니, 그를 무덤에 묻어주고 지하의 가장 훌륭한 죽은 자들에게 어울리는 온갖 의식을 베풀 것이오. 그러나 그와 형제 사이인 폴리네이케스는 추방에서 돌아와 조국 땅과 선조들의 신들을 화염으로 완전히 불사르고, 친족의 피를 마시고, 나머지는 노예로 끌고 가려고 하였으니, 그와 관련하여 왕인 나는, 도시에 다음의 포고를 내렸소. 아무도 그에게 장례를 베풀거나 애도하지 말고, 새 떼와 개 떼의 밥이 되고 치욕스러운 광경이 되도록 그의 시신을 묻히지 않은 채 내버려 두라고 말이오. 그것이 곧 나의 법, 즉 왕의 법이오. 나는 결코 사악한 자들이 올바른 사람들보다 더 존중받지 못하게 할 것이오. 그러나 누구든지 이 도시에 호의를 가진 사람은 죽었든 살아 있든 똑같이 존경받게 될 것이오.

(…중략…)

크레온: 너는 장황하게 늘어놓지 말고 간단히 말하도록 하라. 너는 폴리네이케스의 장례를 치르지 말라는 왕의 포고가 내려졌다는 사실을 알고 있었느냐?

안티고네: 알고 있었습니다. 공지의 사실인데 어찌 모를 리가 있겠습니까?

크레온: 그런데도 너는 감히 왕의 법을 어겼단 말이냐?

안티고네: 네. 그 포고를 나에게 알려주신 이는 제우스가 아니었으며, 하계(下界)의 신들과 함께 사시는 정의의 여신께서도 그런 법을 세우시지는 않았기 때문이지요. 나는 또 그대의 명령이 불멸의 신이 세운 법을 무시할 수 있을 정도로 강력하다고 생각지는 않았어요. 왜냐하면 신의 법은 어디서 왔는지 아무도 모르는 데다가 어제오늘에 생긴 것이 아니라 영원히 살아 있는 것이기 때문이지요. 나는 한낱 인간의 의지가 두려워서 신의 불문율들을 어김으로써 신들 앞에서 벌을 받고 싶지 않았어요. 나는 언젠가 죽게 될 것임을 잘 알고 있었어요. 어찌 모르겠어요? 그대의 그 포고가 없었다 하더라도 말이어요.

(…중략…) 그러니 내가 이런 운명을 맞는다는 것은 나에게는 조금도 고통스럽지 않아요. 그러나 내가 내 오빠, 폴리네이케스의 묻히지 않은 시신을 바깥에 누워 있도록 내버려 두었더라면, 그것은 나에게 고통이 되었을 거예요. 하지만 나의 죽음은 나에게 조금도 고통스럽지 않아요. 그리고 만약 그대의 눈에 내 행동이 어리석어 보인다면, 나를 어리석다고 나무라는 자야말로 아마도 어리석은 자일 거예요.

- 소포클레스, 『안티고네』

<나>

충청감사 박종악(朴宗岳)이 전주에 사는 김계손(金啓孫) 형제가 김수리봉(金水里奉)을 찔러 죽인 것에 대한 보고서를 올린 것에 대해 정조 임금께서 하교하셨다.

"이번 김계손 형제들의 보고를 보니, 그 효성은 극히 감동스럽고 그 사정은 극히 측은하고 그 마음은 극히 애달프고 그 정성은 극히 가련하고 그 뜻은 극히 칭찬할 만하다. 이 중에서 한 가지만 있더라도 마땅히 용서해 줄 일인데, 형제 두 사람이 다섯 가지 뛰어난 행실을 겸하고 있는데도 조정에서 만약 등한히 보아 넘기고 관례에 따라 '원수를 제 마음대로 죽이면 곤장 60대를 친다.'라는 법조문과 '사실을 규명하기 전에 원수를 제 마음대로 죽이면 사형을 감하여 정배한다.'라는 등의 법조문을 인용하여 처벌한다면 그 어찌 풍속을 두텁게 이끌려는 정치라 말할 수 있겠는가. 대체로 광경을 눈으로 직접 보고 그 자리에서 몸을 던져 자신의 생사를 돌보지 않고 반드시 보복하고야 마는 경우는 가끔 있는 일이지만, 김계손 등은 예리한 칼을 만들어 각기 품속에 감추고서 많은 세월을 보내고 많은 생각을 하던 끝에 그 원수가 정상이 참작되어 감옥에서 나오자, 원수가 가까이 있으면 가까이서 지켜보고 멀리 가면 멀리까지 따라가, 끝내는 형제가 함께 아비의 복수를 갚았다. 먼저 찌른 것은 형이고 다음에 찌른 것은 아우이다. 원수를 죽인 뒤에는 형제가 또 함께 관아에 자수하여 법에 따라 죽기를 청하였다. 옛사람이 이르기를, '비분강개한 속에 죽기는 쉬워도 조용히 죽음에 나아가기는 어렵다.' 하였는데 바로 김계손 형제를 두고 말한 것이 아니겠는가. 이들의 효성스러운 일은 『이륜행실도(二倫行實圖)』에 올리더라도 지나침이 없을 것이다. 충청감사에게 분부하여 김계손 등을 즉시 풀어 주고 관아에 불러서 판결한 내용을 베껴 주어라. 이어 그들의 고향인 전주목(全州牧)에 관련 사실을 알리라. 또 관찰사에게 그의 처지를 살펴보고 특별히 거두어 채용하게 하라."

- 『일성록』 정조 15년(1791) 9월 20일

<다>

이때 임금께서 팔도에 공문을 보내 길동을 잡아들이라고 하셨으나, 길동이 부리는 변화는 예측할 수 없을 정도였다. 장안 대로를 고관(高官)의 수레를 타고 왕래하기도 하고, 혹 각 읍에 공문을 보낸 후 쌍가마를 타고 왕래하기도 하며, 혹 암행어사의 모습을 하고 각 읍 수령 중에 탐관오리인 자의 목을 벤 후 '가짜어사 홍길동의 보고서'란 것을 써놓기도 하니, 임금께서 더욱 진노하며 말씀하셨다.

"이놈이 각 도를 다니며 이런 장난을 하되, 아무도 잡지 못하고 있으니 이를 장차 어찌하리오."

삼정승과 육판서를 모두 모아 의논하는 동안에도 계속해서 보고가 올라왔는데, 이는 다 팔도의 홍길동이 장난한다는 보고였다. 임금께서 차례로 보시고는 크게 근심하시며 좌우를 돌아보고 물으셨다.

"이것은 아마 사람이 아니요, 귀신이 폐단을 일으키는 것이니, 조정의 신하 중에 누가 그 근본을 알고 있느냐?"

한 사람이 앞으로 나서며 아뢰었다.

"홍길동은 전임 이조판서 홍 아무개의 서자(庶子)요, 병조 좌랑 홍인형의 서출(庶出) 아우이오니, 지금 그 형을 잡아들여 친히 물어보시면 자연 아실 것입니다."

임금께서 더욱 화를 내며 말씀하셨다.

"이런 말을 어찌 이제야 하느냐?"

즉시 홍인형을 잡아들여 임금께서 직접 심문하셨다. 임금께서 진노하시어 책상을 치면서 말씀하셨다.

㉠**"길동이란 도적이 너의 아우라 들었다. 그런데 어찌 길동이 장난하지 못하도록 막지 아니하고 그냥 두어 나라에 큰 근심거리가 되게 했느냐? 네 만일 잡아들이지 아니하면 너의 충성을 돌아보지 않을 것이니, 빨리 잡아들여 조선에 큰 변고가 없게 하라."**

-『홍길동전』(경판 30장본)

[문제 1] 크레온, 안티고네, 정조의 입장을 요약하고, 하나의 입장을 택하여 <다>의 홍인형이 밑줄 친 ㉠에 대해 어떻게 대처해야 할 것인지 논술하시오. (500±25자)

[문제 2] 제시문 <가>를 요약한 후, 제시문 <나>, <다>, <라>, <마>를 사회 실재론과 사회 명목론으로 구분하고 그 근거를 논술하시오. (500자 ± 25자) [100점]

<가>

개인과 사회의 관계를 바라보는 관점에는 사회 실재론과 사회 명목론이 있다. 사회 실재론은 사회가 개인의 속성과는 구별되는 독립적인 실체이며, 개인의 외부에 실제로 존재한다고 보는 관점이다. 즉, 사회는 개인의 총합 이상으로서 개인으로 환원될 수 없는 고유한 성격을 가진다는 것이다. 사회는 개인의 사고와 행위의 한계를 정하고 구속하며 개인은 독자적인 판단이나 사고에 따라 행동하는 것이 아니라 사회의 영향을 받아 행동한다는 것이다. 따라서 사회·문화 현상을 이해하려면 개인의 특성보다는 사회 구조를 탐구해야 한다고 본다. 이와 달리 사회 명목론은 사회가 개인의 합에 이름을 붙인 것으로 실제로 존재하지 않는다는 관점이다. 즉, 사회가 명목상으로 존재하며 개인의 집합체에 불과하다는 것이다. 실제로 존재하는 것은 사회가 아니라 자유 의지에 따라 행동하는 개인뿐이라는 것이다. 따라서 사회·문화 현상을 이해하려면 그 사회를 구성하는 개인들의 특성을 탐구해야 한다고 본다.

<나>

쇼어디치는 영국 런던의 변두리에 있는 공장 지대이다. 20세기에 들어 방글라데시 등지에서 이민자들이 이주해 오면서 다양한 민족(인종)이 모인 빈민촌이 되었다. 하지만 1980년대 말부터 이주해 온 젊은 예술가와 디자이너들이 쇼어디치를 변화시켰다. 쇼어디치는 도심과의 접근성이 높고 교통이 편리하며, 임대료가 저렴해 작업 공간을 구하던 예술가들에게 안성맞춤이었다. 이 지역이 문화 예술 지역으로 발전하면서 임대료가 올라 일부 예술가와 기존 이민자들이 다른 지역으로 떠나기도 하였다. 하지만 쇼어디치에 지역 사회 조합이 결성되고, 쇼어디치 지역의 고유한 문화와 주민의 권리를 지키기 위한 노력들이 이루어지고 있다. 그 결과 방글라데시 이민자들이 운영하는 '카레 골목'은 그대로 유지되고 있다. 이 지역이 관심을 받으면서 새롭게 들어온 벤처 회사들도 자치구에서 마련해 준 관련 지원 대책으로 기존 거주자들과 공존하게 되었다.

<다>

사회 유기체설은 생물학의 발전에 영향을 받아 사회를 생물 유기체(생명체)에 비유하는 것으로 사회 구조에 대한 과학적 분석의 시도로 등장하였다. 사회 유기체설에서 개인은 사회를 구성하는 하나의 기관(organ) 또는 세포로 비유된다. 즉, 사회는 생성, 발전하는 유기적인 통합체이고, 개인은 사회를 구성하는 요소로 전체 속에서 일정한 기능을 담당하기 때문에 사회를 떠나서는 존재할 수 없다는 입장이다. 이러한 사회 유기체설을 확대 해석할 경우 자칫 전체주의로 변질될 우려가 있다.

<라>

지난달 15~29세 청년 실업률이 10.9%를 기록하였다. 지난 2월 이후 석 달째 두 자릿수를 나타냈다. 통계청이 발표한 '4월 고용 동향'에 따르면 지난달 청년 실업률은 10.9%로 4월 기준으로 역대 최고치를 기록하였다. 특히 2~4월 청년 실업률은 월별 기준으로 사상 최고치를 이어 가고 있다. 청년 실업률은 1월 9.5 %에서 2월 12.5%로 폭등하며 사상 최고치를 기록한 뒤 3월 11.8%, 4월 10.9%로 뚜렷한 호전세를 보이지 못하고 있다.

- 『매일경제』, 2016. 5. 11. -

우리나라의 청년 실업률이 높은 것은 우리나라의 대학 진학률이 너무 높은 사회 구조적 문제와 관련이 있다. 고등학교 졸업자의 대부분이 대학에 진학하고 대학 졸업자는 자신의 학력 수준에 맞는 직장에 들어가기를 원한다. 하지만 대학 졸업자들이 들어가고 싶어 하는 회사에서 필요로 하는 인력의 수는 대학 졸업자 수에 훨씬 못 미친다. 즉 노동 시장에서 노동 공급자는 많지만, 노동의 수요는 적어 많은 청년이 원하는 일자리를 청년 실업 증가 문제를 해결하려면 산업 수요에 맞게 교육 체계를 바꾸어야 하고, 직종 및 직장 간 임금 격차가 줄어들도록 사회 제도를 개선해야 한다.

<마>

흑인의 참정권이 헌법에 보장되어 있는데도 백인들의 차별과 협박으로 흑인들이 투표하지 못하던 1960년대 미국 마틴 루서 킹(King, M. L.) 목사는 흑인이 인구의 절반을 차지하는 앨라배마주 셀마시로 내려가 실질적인 흑인 참정권 운동을 벌인다. 하지만 대통령의 비협조와 앨라배마 주지사의 방해 공작으로 킹 목사의 운동은 난항을 겪고, 그 와중에 흑인 청년이 백인 경찰의 총에 맞아 사망하는 사건이 발생한다. 분개한 흑인들은 폭력으로 맞대응하는 대신 비폭력 행진으로 대응하고 에드먼드 패터스 다리에서 경찰과 맞닥뜨린다. 경찰은 그들에게 무차별적인 폭력을 행사한다. 이 모습이 미국 전역에 보도되자, 이 운동은 흑인뿐만 아니라 양심 있는 백인까지 참여하는 운동으로 확산되었다. 그들은 끝까지 비폭력으로 저항하였고, 끝내 투표권을 쟁취하였다.

계열	지원학과	수험번호	생년월일(예:041123)	유의사항
인문계열				1. 답안지는 **흑색** 으로 원고지 사용법에 따라 작성하여야 합니다. 2. 수험번호와 생년월일을 숫자로 쓰고 컴퓨터용 사인펜으로 ● 표기하여야 합니다. 3. **답안의 작성영역**을 벗어나지 않도록 각별히 유의 바라며, 인적사항 및 답안과 관계없는 표기를 하는 경우 **결격처리** 될 수 있습니다.

성명

※ 감독관 확인란

【1번】 답안 **(반드시 해당 문제와 일치하여야 함)**

이 줄 아래에 답안을 작성하거나 낙서할 경우 판독이 불가능하여 채점 불가

이 줄 위에 답안을 작성하거나 낙서할 경우 판독이 불가능하여 채점 불가

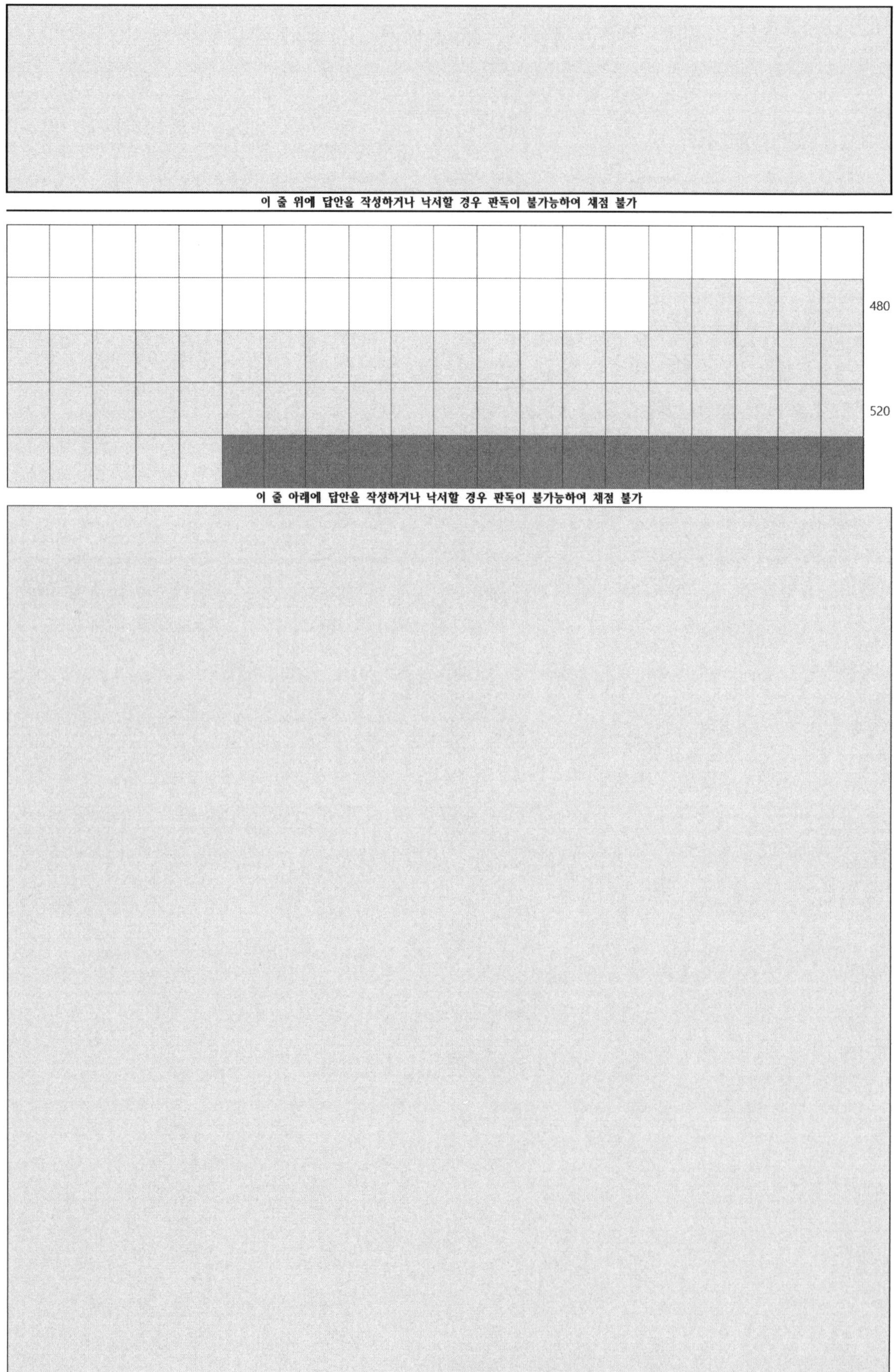

이 줄 아래에 답안을 작성하거나 낙서할 경우 판독이 불가능하여 채점 불가

이 줄 위에 답안을 작성하거나 낙서할 경우 판독이 불가능하여 채점 불가

【2번】 답안 (반드시 해당 문제와 일치하여야 함)

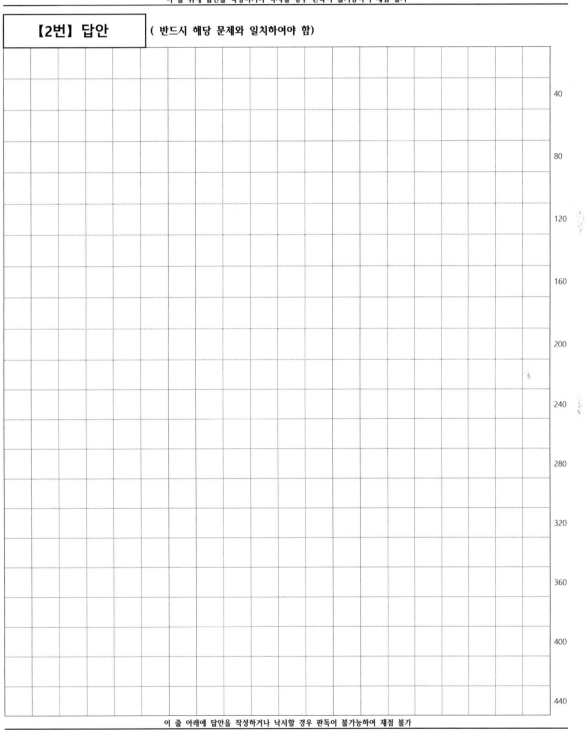

이 줄 아래에 답안을 작성하거나 낙서할 경우 판독이 불가능하여 채점 불가

이 줄 위에 답안을 작성하거나 낙서할 경우 판독이 불가능하여 채점 불가
480
520
이 줄 아래에 답안을 작성하거나 낙서할 경우 판독이 불가능하여 채점 불가

4. 2023학년도 덕성여대 수시 논술

※ 다음 제시문을 읽고 문제에 답하시오.

<가>

상대 높임법은 화자가 청자에 대하여 높이거나 낮추어 말하는 방법으로 주로 종결 표현을 통해 실현된다. 높임의 표현에는 하십시오체(합니다. 합니까? 등), 해요체(해요, 해요? 등), 하오체(하오, 하오? 등)의 등급이 있고, 낮춤의 표현에는 하게체(하네, 하나? 등), 해체(해, 해? 등), 해라체(한다, 하니? 등)의 등급이 있다. 상대 높임법의 등급은 나이, 직위, 계층, 항렬 등의 사회적 요인에 따라 결정되며, 어떤 대화 상대방에게 어떤 높임법 등급이 적절한가에 대한 판단은 공동체의 규범에 따라 달라진다. 여기에서 '공동체의 규범'이란 개별 공동체에서 지니고 있는 '무엇이 자연스러운가'에 관한 묵시적 합의를 말한다. 가령, 공동체 A에서는 직위보다 계층이 더 중요하여 나보다 사회적 계층이 높은 사람에게는 나보다 직장 내 직위가 낮아도 높임의 표현을 사용하는 반면, 공동체 B에서는 계층보다 직위가 더 중요하여 나보다 사회적 계층이 낮더라도 나보다 직장 내 직위가 높으면 높임의 표현을 사용한다. 개별 공동체의 구성원들은 대개 어떤 화자가 어떤 청자에게 어떤 높임법 등급을 사용할지 예측할 수 있으며, 화자들은 공동체의 규범에 따름으로써 일상적인 대화를 자연스럽게 이끌어 갈 수 있다.

<나>

그 자체로 절대적인 것이 있을까? 무엇이 진리인지, 무엇이 당위인지는 중요하지 않다. 중요한 것은 우리가 실생활에서 사용할 수 있는 현금 가치이다. 아무리 당연하게 보여도 유용하지 않으면 의미가 없다. 미국의 철학자이자 심리학자인 윌리엄 제임스는 다음과 같이 말했다. "만일 내가 숲에서 길을 잃고 굶주리다가 소가 다니는 길처럼 보이는 것을 발견한다면, 가장 중요한 것은 내가 그 길 끝에 있는 집을 생각해야 한다는 것이다. 왜냐하면, 내가 그렇게 해서 그 길을 따라간다면 살아날 수 있기 때문이다. 여기서 내 생각이 참인 이유는 그 대상인 집이 유용하기 때문이다." 과연, 소 발자국 끝에 정말 집이 있는지 없는지가 중요한 것일까? 굶어 죽어갈 때, 나는 무엇이건 시도해야 한다. 가만히 있으면 나는 그대로 굶어 죽을 것이다. 그 길 끝에 집이 있을 것이라는 보장이 없더라도, 그 길이 어디든 사람이 사는 집으로 이끌 것이라는 희망을 가지고서 당장 움직이는 것이 중요하다. 마찬가지로, 미국의 철학자 존 듀이에 의하면, 규범은 행위의 일람표도 아니고 약국의 처방전처럼 그대로 따라야 할 규칙도 아니다. 우리는 주어진 문제를 해결하여, 어떻게 최선의 결과를 산출할 수 있는지를 탐구해야 한다.

<다>

다음은 OO사관학교 교수들 사이의 대화이다. OO사관학교 교수들은 모두 군인 신분이다. 중위가 소위보다 상급자이지만, 나이는 소위가 중위보다 세 살 위이다.

중위: 지나가다 불이 켜져 있어 와 봤어. 요즘 뭐 연구해?
소위: 요새 근현대사에 관심이 있습니다.
중위: 얼마 전에 OO출판사 아저씨가 안부 전해 달라고 하던데.
소위: 아, 저도 지난주 학회 가면서 봤습니다. 어떻게 아십니까?
중위: 그 아저씨한테 책 많이 샀잖아.
소위: 아, 그런데 중위님, 박사 과정으로 진학하십니까?
중위: 글쎄, 내년쯤 가야 되는데 아직 세부 전공도 제대로 못 정하고 걱정돼. (잠시 뜸을 들인 후) 이거, 우리 소위 선생님 제대하기 전에 제가 도움을 좀 받아야 되는데요.
소위: 아, 저도 배우는 중입니다. 참고하시라고 제 논문 하나 드리겠습니다.
중위: (반가워하며) 아, 잘됐네요. 하나 주시면 감사하죠.
소위: (논문을 하나 꺼내어 서명하여 주면서) 좋은 글이 못됩니다.
중위: 아이, 고마워요. 잘 볼게요. 이거, 시간 뺏어서 미안해요. (문 쪽으로 가면서) 열심히 하세요!
소위: 예, 쉬십시오.
중위: (잠시 멈춰 뒤를 돌아보며) 앞으로도 잘 부탁해요.

【문제 1】 <가>의 핵심 내용과 관련하여 <다>에 나타난 상대 높임법 등급의 전환을 설명하고, 그 전환의 이유를 <나>를 바탕으로 논하시오. (500자 내외)

※ 다음 제시문을 읽고 문제에 답하시오.

<가>

개인의 자유를 공동체의 가치보다 중요하게 보는 관점에서는 개인이 자신이 원하는 삶의 목적과 방식을 스스로 결정하고 이에 따라 자유롭게 살아갈 권리가 있다고 본다. 그러므로 공동체를 포함한 누구도 이러한 자유와 권리를 빼앗을 수 없다. 반면, 개인의 자유보다 공동체 가치를 중시하는 관점에서는 개인이 자신이 속한 공동체가 올바로 유지되고 발전할 때 좋은 삶을 살아갈 수 있으므로 공동체의 발전을 위해 노력할 것을 요구한다. 그러므로 공공의 가치와 공동선 실현을 위해 개인의 자유와 권리가 제한될 수도 있다.

<나>

우리나라는 출산율이 갈수록 떨어져 2018년에는 출산율이 0.98명인 초저출산 국가가 되었다. 이에 정부는 '하나보다 둘, 둘보다 셋이 좋은 세상', '아이 낳는 당신이 애국자입니다'등의 문구를 내세우며 출산을 장려하고 있다. 또한 적극적인 결혼 및 출산 장려 정책을 시행하고 있다. 결혼 및 출산 지원금을 보조하고, 다자녀 가정에 각종 혜택을 제공하고 있는 정책이 그 예이다.

<다>

자신의 토지가 개발 제한 구역 내에 있어 재산권 행사에 제한을 받아 온 시민들이 재산권 행사의 보장을 요구하는 모임을 만들고 정부 정책에 대응하기로 하였다. 이 모임은 회원 120여 명이 모인 가운데 사유지에 대한 재산권 행사가 가능하도록 개발 제한 구역을 해제해 달라고 정부에 요구하였다. 또한 지난 40여 년 동안 억울하게 침해된 재산권을 찾고자 하는 시민들이 500만 명에 이른다고 주장하였다. 특히 "우리는 재산권을 강제로 빼앗기고 희생만 강요당하며 정신적 고통을 안고 살아왔다."라고 말하면서 억울함을 호소하였다.

<라>

자가 격리 조치는 감염병 환자 등과 접촉해 감염병에 감염되거나 전파될 우려가 있는 사람이나 감염병 의심자를 자가(自家) 또는 적당한 장소에 일정 기간 동안 다른 사람 과 접촉하지 않도록 격리하는 조치의 일종이다. 현재 보건 당국은 '확진자가 코로나19 증상을 나타내기 시작한 시점부터 2m 이내로 접촉한 자, 이 확진자가 폐쇄 공간에서 마스크를 착용하지 않고 기침을 한 경우 그와 같은 공간에 있던 자'를 자가 격리 대상으로 지정하고 있다. 자가 격리 대상자에 해당하는 경우 지역 보건소에서 자가 격리 대상자임을 통보해 주고, 이후 관계자가 찾아와 필요 물품과 주의사항을 전달해 준다.

<마>

미국 뉴욕 주의 갑부 40여 명이 의회에 '상위 1% 부유세'를 부과해 달라는 청원서를 냈다. 청원서에는 어린이 빈곤과 노숙자 문제 등의 해결에 추가 재정 투입이 필요하다며, 소득 상위 1%를 대상으로 증세해야 한다는 갑부들의 요구가 담겨 있었다. 이들은 청원서에서 "우리 주의 경제적 발전에 기여하고 부를 축적한 주민으로서 우리는 우리의 공정한 몫을 부담할 능력과 책임이 있다. 우리는 현재 세금을 잘 낼 수 있으며 더 많이 낼 능력도 있다."라고 강조했다.

【문제 2】 제시문 <나>, <다>, <라>, <마>를 제시문 <가>에 나타난 두 가지 관점을 기준으로 구분하고, 그 근거를 논술하시오.(500자 내외) [100점]

계 열	지 원 학 과	수 험 번 호	생년월일(예:041123)	유 의 사 항
인 문 계 열		⓪①②③④⑤⑥⑦⑧⑨ (8자리)	⓪①②③④⑤⑥⑦⑧⑨ (6자리)	1. 답안지는 **흑색** 으로 원고지 사용법에 따라 작성하여야 합니다. 2. 수험번호와 생년월일을 숫자로 쓰고 컴퓨터용 사인펜으로 ● 표기하여야 합니다. 3. **답안의 작성영역**을 벗어나지 않도록 각별히 유의 바라며, 인적사항 및 답안과 관계없는 표기를 하는 경우 **결격처리** 될 수 있습니다.

성 명

※ 감독관 확인란

【1번】 답안 (반드시 해당 문제와 일치하여야 함)

이 줄 아래에 답안을 작성하거나 낙서할 경우 판독이 불가능하여 채점 불가

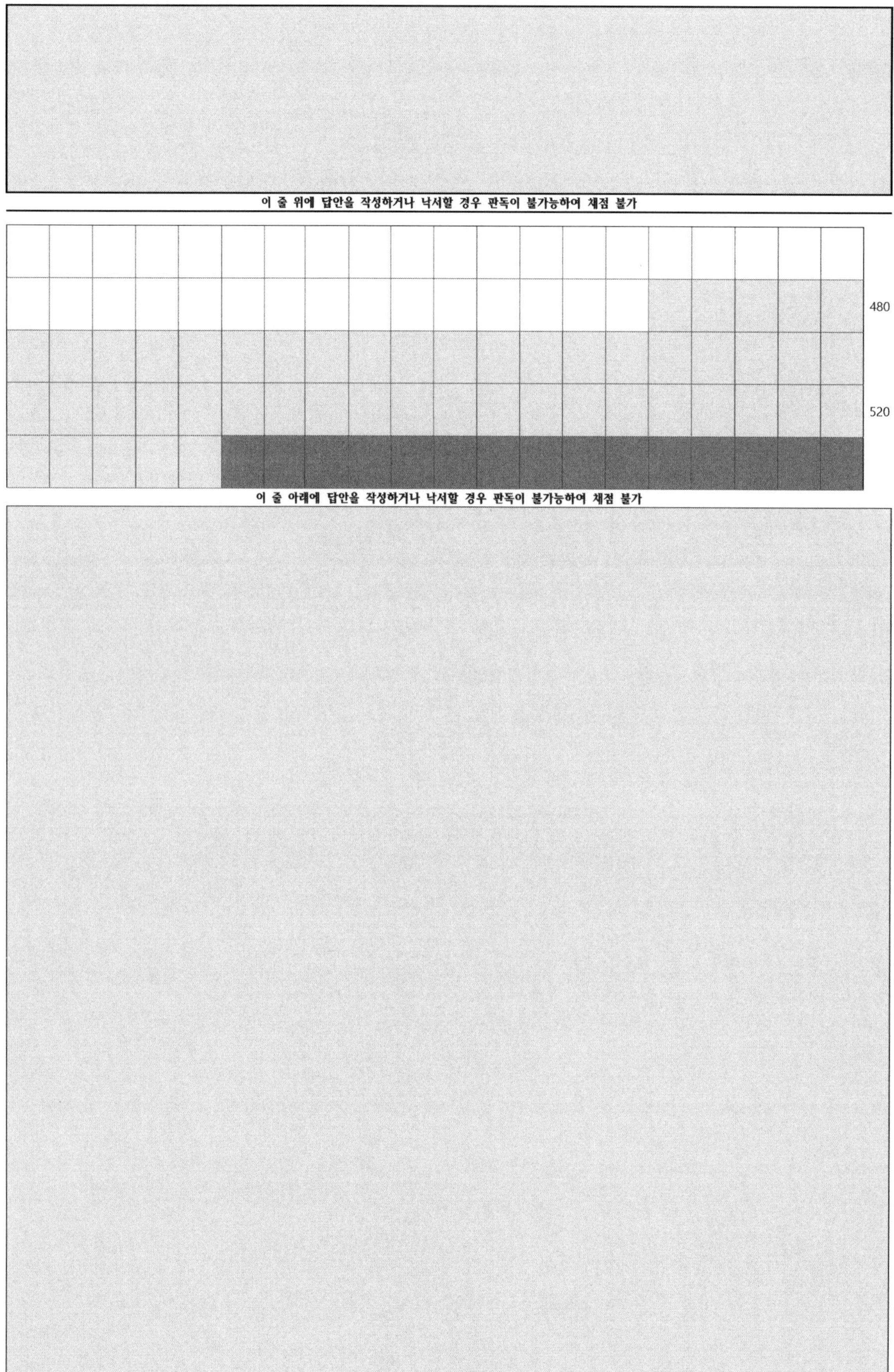
이 줄 위에 답안을 작성하거나 낙서할 경우 판독이 불가능하여 채점 불가
480
520
이 줄 아래에 답안을 작성하거나 낙서할 경우 판독이 불가능하여 채점 불가

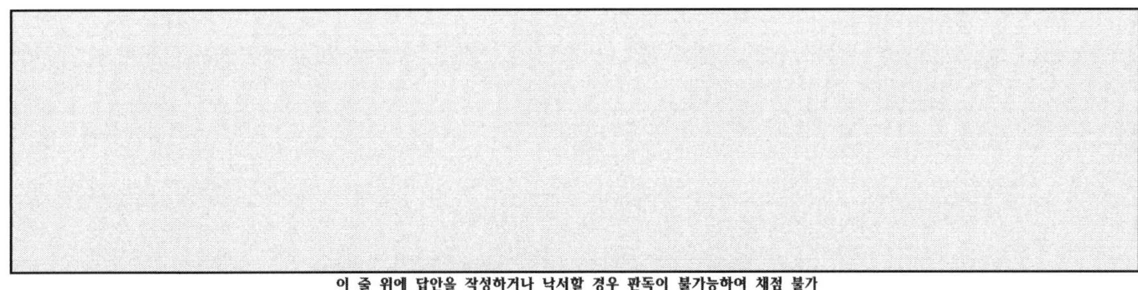

이 줄 위에 답안을 작성하거나 낙서할 경우 판독이 불가능하여 채점 불가

【2번】 답안 (반드시 해당 문제와 일치하여야 함)

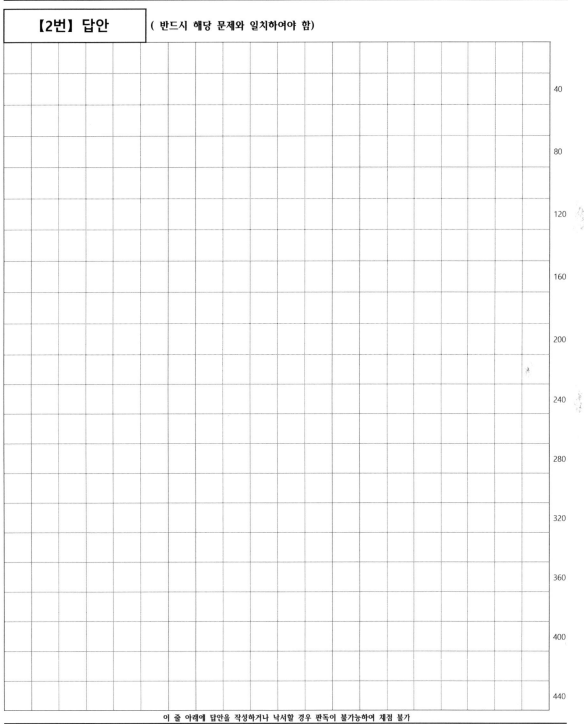

이 줄 아래에 답안을 작성하거나 낙서할 경우 판독이 불가능하여 채점 불가

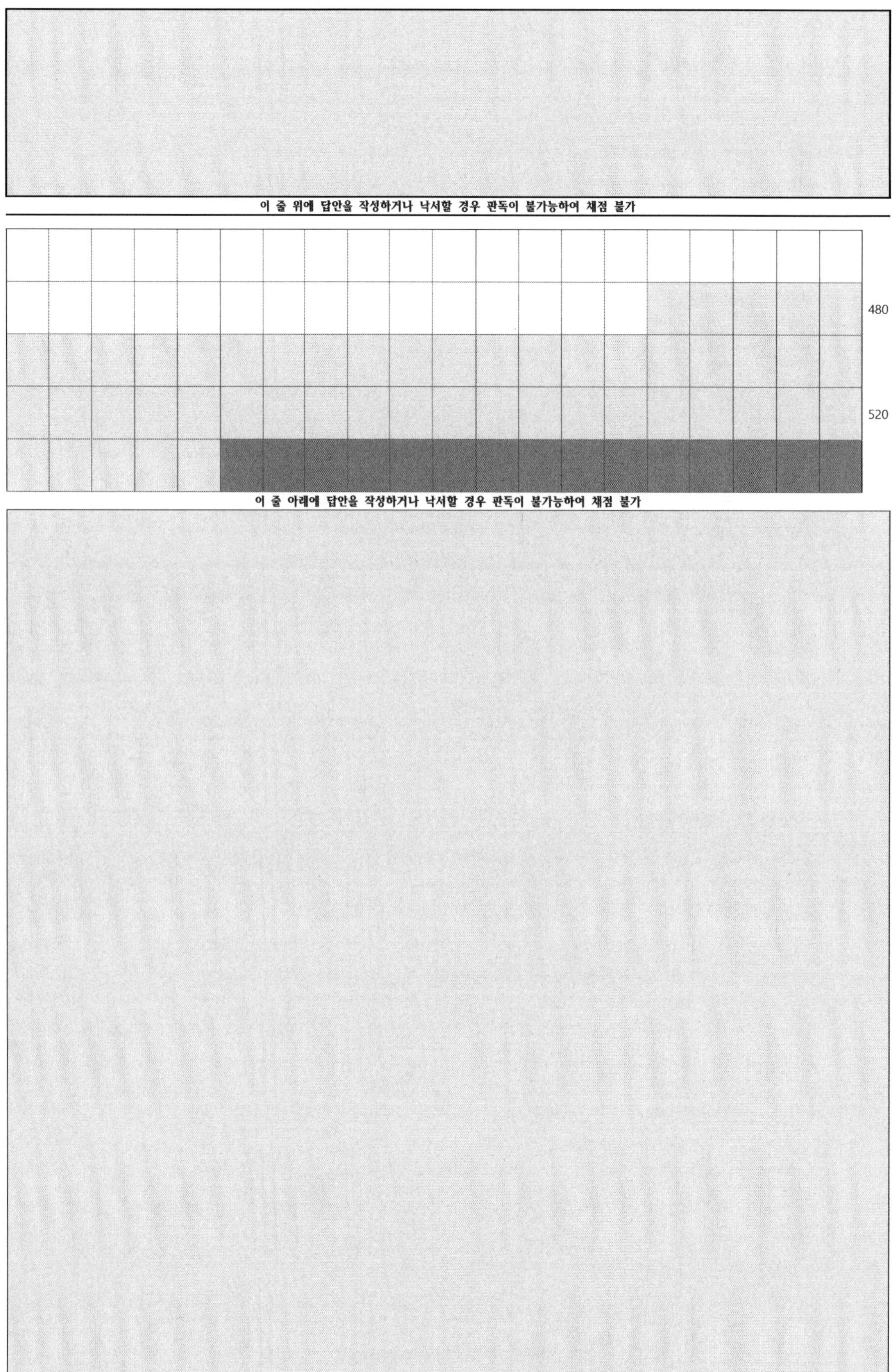
이 줄 위에 답안을 작성하거나 낙서할 경우 판독이 불가능하여 채점 불가
480
520
이 줄 아래에 답안을 작성하거나 낙서할 경우 판독이 불가능하여 채점 불가

5. 2023학년도 덕성여대 모의 논술

※ 다음 제시문을 읽고 아래의 문제에 답하시오.

<가> 사피어-워프 가설은 언어의 사용 습관에 따라 사고의 틀이 정해진다는 이론이다. 이에 따르면 언어는 사람들의 사고방식에 영향을 미친다. 사피어는 공동체의 언어 습관이 특정한 해석을 선택하도록 하므로 우리는 일반적으로 우리가 행한 대로 보고 듣고 경험한다고 했다. 사피어의 영향을 받은 워프는 언어가 경험을 조직한다고 주장하였다. 우리는 한 문화의 성원이자 한 언어의 화자로서 어떤 암묵적 분류를 배우고, 이 분류가 세계의 정확한 표현이라고 간주한다.

워프가 이러한 주장을 하게 된 계기는 자못 흥미롭다. 화재보험회사 조사원으로 일하던 워프는 공장 화재의 원인이 언어에 있음을 알아차리게 된다. 'empty'(비었음)라고 찍혀 있는 휘발유 드럼통 주변에서 노동자들이 담배를 피우다가 화재가 자주 발생하였던 것이다. 비워진 드럼통에는 사실상 더 폭발이 쉬운 유증기가 담겨 있는데도 노동자들은 그 주변에서 함부로 담배를 피우고 담배꽁초를 버렸다. 반면에 가득 찬 휘발유 드럼통 주위에서는 담배를 피우지 않았다. 워프는 이러한 노동자들의 행동이 언어의 힘에서 비롯된다고 보았다. 'empty'(비었음)라는 단어가 노동자들로 하여금 특정한 관점에서 사고하고 행동하게 한다고 보았던 것이다. 언어를 통해 규정된 인간의 사고방식은 행위를 통해 드러나며 결국 세상에 영향을 미치게 된다는 것이다.

<나> '다트머스'(Dartmouth)라는 지명은 영국의 한 지역을 가리킨다. 그 지역이 그렇게 불리게 된 것은 다트(Dart) 강의 하구(mouth)에 있기 때문이다. 그러나 다트 강이 진로를 바꾸어 전혀 다른 지역으로 흐르게 되었다고 하자. 이때, 애초의 지역이 여전히 '다트머스'라고 불릴 것이다. 어떤 사람은 지명의 유래와 의미를 중요시하여 오직 다트 강 하구의 마을만이 다트머스라고 생각할지 모른다. 지도에서 다트머스를 찾으려면 다트 강을 먼저 찾아야 한다는 것이다. 그러나 다트 강이 다른 마을로 흘러가게 되었다면 이 마을이 '다트머스'라고 불려야 하는가?

옛날 사람은 우리가 어떤 사람과 사물의 진정한 이름을 알면 그 사람과 사물에 대한 권능을 갖는다고 믿었다. 이는 이름과 그 소유자 간에는 무엇인가 마술적인 연결이 있다고 생각했기 때문이다. 그러나 이름과 소유자 간의 관계는 우연적인 것이며 사회적 규약일 뿐이라는 것을 깨달으면 왜 이름에 대한 지식이 특별한 의미를 가져야 하는지 이해하기 어렵다. 과연 언어가 세상에 마술적인 영향을 미쳐서 세상에 대한 사람의 생각까지 규정하는 것일까? 다트 강의 진로가 바뀌어도 사람들이 다트머스에 대해 생각하는 것은 지명의 원래 의미와는 상관이 없을 것이다. 마찬가지로, 새로운 마을이 다트 강 하구에 있게 되더라도 우리는 그 마을을 다트머스라 여기지 않을 것이다.

<다> 예전 초나라에 어부가 있었는데 초나라 사람이 그를 사랑하여 사당을 짓고 대

부 굴원(屈原)과 함께 배향하였다. 어부의 이름은 과연 무엇이었던가? 대부 굴원은 『초사(楚辭)』를 지어 스스로 제 이름을 찬양하여 정칙(正則)이니 영균(靈均)이니 하였으니, 이로써 대부 굴원의 이름이 정말 아름답게 되었다. 그러나 어부는 이름이 없고 단지 고기 잡는 사람이라 어부라고만 하였으니 이는 천한 명칭이다. 그런데도 대부 굴원의 이름과 나란하게 백 대의 먼 후세까지 전해지게 되었으니, 이것은 어찌 그 이름 때문이었겠는가? 이름은 정말 아름답게 붙이는 것이 좋겠지만 천하게 붙여도 무방하다. 있어도 되고 없어도 된다. 아름답게 해 주어도 되고 천하게 해 주어도 된다. 아름다워도 되고 천해도 된다면 꼭 아름답기를 생각할 필요가 있겠는가? 있어도 되고 없어도 된다면 없는 것도 정말 괜찮은 것이다.

어떤 이가 말하였다.

"꽃은 애초에 이름이 없었던 적이 없는데 당신이 유독 모른다고 하여 이름이 없다고 하면 되겠는가?"

내가 말하였다.

"없어서 없는 것도 없는 것이요, 몰라서 없는 것 역시 없는 것이다. 어부가 또한 평소 이름이 없었던 것은 아니요, 어부가 초나라 사람이니 초나라 사람이라면 그 이름을 당연히 알고 있었을 것이다. 그런데도 초나라 사람들이 어부를 좋아함이 이름이 있지 않았기에 그 좋아할 만한 것만 전하고 그 이름은 전하지 않은 것이다. 이름을 정말 알고 있는데도 오히려 마음에 두지 않는데, 하물며 모르는 것에 꼭 이름을 붙이려고 할 필요가 있겠는가?"

- 신경준, 『이름 없는 꽃』

<라> 외계인 헵타포드의 언어는 음성언어인 헵타포드 A와 문자언어인 헵타포드 B로 나뉜다. 나는 기회가 될 때마다 헵타포드 B를 연습했다. 흥미로운 점은 헵타포드 B가 내가 생각하는 방식을 바꿔놓고 있다는 사실이었다. ……

헵타포드 B로 생각하는 법을 배우기 전, 나의 기억은 극미의 담뱃불처럼 타들어가고 있는 나 자신의 의식-순차적인 현재에 머물러 있는-이 만들어내는 한 줄기 담뱃재처럼 자라나고 있었다. 헵타포드 B를 습득한 다음에는 새로운 기억들이 거대한 블록들처럼 자리에 맞아들었다. 각각의 블록은 몇 년 동안의 기억에 해당됐다. 이것들은 순서대로거나 연속적으로 도착하지는 않았지만, 곧 오십 년에 걸친 세월의 기억을 형성했다.

나의 의식은 예전과 마찬가지로 시간 선을 따라 기어가듯이 전진하는 가느다란 담뱃불이며, 달라진 것이 있다면 기억의 재가 뒤뿐만 아니라 앞쪽에도 존재한다는 점이다. 진짜로 타오르거나 하지는 않는다. 그러나 이따금 헵타포드 B가 진정한 우위를 점하는 순간이 올 때, 나는 과거와 미래를 한꺼번에 경험한다. 나의 의식은 시간 밖에서 타다 남은 반세기 길이의 잿불이 된다. 이런 경험을 할 때 나는 세월 전체를 동시에 지각한다. 이것은 나의 남은 생애와 너의 모든 생애를 포함하는 기간이다. ……

헵타포드와의 공동 작업은 나의 인생을 바꿔놓았어. 나는 너의 아버지를 만났고, 헵타포드 B를 배웠어. 이 두 가지 사건은 내가 지금, 아직 이 세상에 없는 너의 존재를 아는 것을 가능하게 해. 달빛에 물든 이 패티오에서 말이야. 훗날, 세월이 흐른 뒤에는 네 아버지도 떠나가고, 너도 떠나가게 될 거야. 이 순간으로부터 내게 남겨질 것은 오직 헵타포드의 언어밖에 없어.

- 창, 『네 인생의 이야기』

【문제 1】 제시문 〈가〉, 〈나〉, 〈다〉, 〈라〉를 언어와 사고의 관계에 관한 서로 다른 두 개의 견해로 분류하여 그 차이점을 서술하시오. (500자 내외)

※ 다음 제시문을 읽고 아래의 문제에 답하시오.

<가>

사회에는 기능적으로 중요한 일과 그렇지 않은 일이 존재한다. 따라서 기능적으로 중요한 일을 하는 사람에게 더 많은 보상을 주어야 하므로 사회적 자원을 차등적으로 분배하는 것이 당연하다. 예를 들어 의사는 생명을 다루는 중요한 일을 하고, 의사가 되려면 시간과 노력을 많이 들여야 하므로 그에 합당한 보상을 해야 한다. 만일 의사에게 합당한 보상이 주어지지 않으면 열심히 공부하여 의사가 되려는 사람이 줄어들어 그 사회에서는 의사가 부족해질 것이다. 따라서 기능적 중요도에 따라 보상이 이루어질 때 필요한 사람을 적절한 자리에 배치할 수 있다. 그러므로 개인의 능력이나 노력에 따라 사회적 기여가 달라지고, 이에 따라 사회적 자원이 불평등하게 분배되는 것은 합리적인 기준에 의한 분배 결과이다. 이것은 사람들에게 경쟁을 통하여 중요한 역할을 성취하려는 동기를 부여하고, 자신의 자질과 능력을 최대한 발휘하게 하여 사회 발전에 이바지한다.

<나>

영화 <설국 열차>는 우선 영화의 배경 화면 색으로 전체적인 분위기를 파악할 수 있다. 피지배 계급이 사는 꼬리 칸에서 지배 계급이 사는 앞칸으로 갈수록 색이 밝고 화려해진다. 이는 지배 계급이 만든 구조 속에서 사는 피지배 계급의 어두운 현실을 보여준다. 피지배 계급은 열차를 움직이게 하는 중요한 역할을 하지만 지배 계급이 정한 구조 속에서 제대로 혜택을 받지 못하고 단백질 블록만 먹으며 앞쪽 칸 사람들의 횡포를 그대로 받고 살아간다. 결국 잘못된 구조를 바로잡기 위해 꼬리 칸 사람들이 반란을 일으킨다.

<다>

덴마크는 왜 행복 지수가 높은 나라일까? 공항에 내리자마자 만난 택시 기사의 얼굴을 통해 답을 찾을 수 있었다. 택시 기사의 이름은 라세 밀보인데, 22년째 택시 운전을 하고 있다. 영어를 유창하게 구사하는 그는 손님들로부터 "그 실력을 갖추고 왜 택시 운전을 하느냐?"라는 질문을 자주 받는다고 한다. 그때마다 그는 이렇게 대답한다고 한다. "재미있는 직업이지 않습니까? 택시 운전을 하다 보면 전 세계 사람들과 이야기를 나눌 수 있지요. 그래서 나는 이 일을 즐기고 있습니다." 그 말을 듣고 나는 "혹시 의사나 변호사가 된 친구를 보면 부럽지 않나요?"라고 물어보았다. 그러자 그는 "그렇지는 않습니다. 덴마크인들은 모든 사람이 평등하고 중요하다고 믿습니다. 사장이나 노동자나 다 중요하다고 생각하죠. 사장 없이 노동자 없고 노동자 없이 사장 없지 않습니까? 양쪽 모두 필요하고 똑같이 사회의 중요한 구성원이죠. 가령 택시 기사와 의사가 건강 문제에 관하여 토론한다면 의사가 더 많이 알 것이고 청중도 의사의 말에 더 귀를 기울일 겁니다. 그러나 다른 사안이라면 택시 기사가 더 많이 알 수도 있죠. 그러면 사람들은 택시 기사의 말을 더 중시할 겁니다."

<라>

각 소득 하위 20% 가구와 상위 20% 가구의 연간 교육비가 약 20배 이상 차이가 난다. 집안 형편과 지역 배경 등 자신이 처한 환경에 따라 교육의 양과 질이 달라지는 것이다. 비록 교육의 기회가 보장되지만 의지와 능력이 있다고 해서 인정받고 더 좋은 직업과 더 높은 지위를 가질 수 있는 것은 아니다.

【문제 2】 제시문 <나>, <다>, <라>의 내용을 바탕으로 사회 불평등을 바라보는 제시문 <가>의 관점을 비판하시오. (500자 내외) [100점]

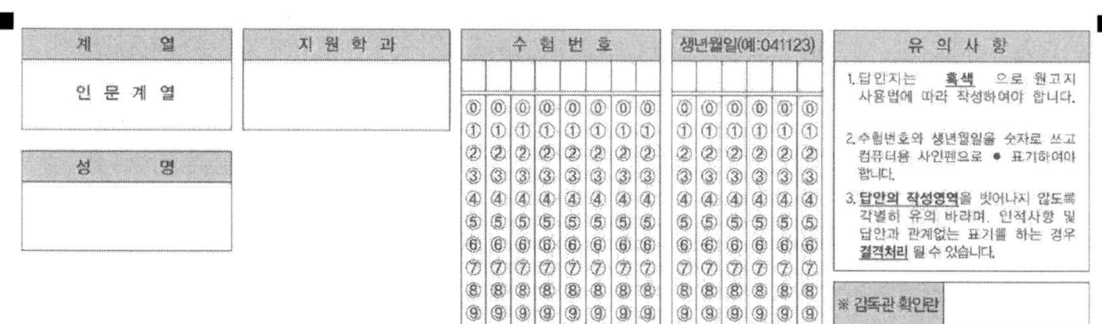
계 열 | 지원학과 | 수험번호 | 생년월일(예:041123) | 유의사항

인 문 계 열

성 명

1. 답안지는 **흑색** 으로 원고지 사용법에 따라 작성하여야 합니다.
2. 수험번호와 생년월일을 숫자로 쓰고 컴퓨터용 사인펜으로 ● 표기하여야 합니다.
3. **답안의 작성영역**을 벗어나지 않도록 각별히 유의 바라며, 인적사항 및 답안과 관계없는 표기를 하는 경우 **결격처리** 될 수 있습니다.

※ 감독관 확인란

【1번】 답안 **(반드시 해당 문제와 일치하여야 함)**

40
80
120
160
200
240
280
320
360
400
440

이 줄 아래에 답안을 작성하거나 낙서할 경우 판독이 불가능하여 체점 불가

이 줄 위에 답안을 작성하거나 낙서할 경우 판독이 불가능하여 채점 불가

이 줄 아래에 답안을 작성하거나 낙서할 경우 판독이 불가능하여 채점 불가

이 줄 위에 답안을 작성하거나 낙서할 경우 판독이 불가능하여 채점 불가

【2번】 답안 (반드시 해당 문제와 일치하여야 함)

이 줄 아래에 답안을 작성하거나 낙서할 경우 판독이 불가능하여 채점 불가

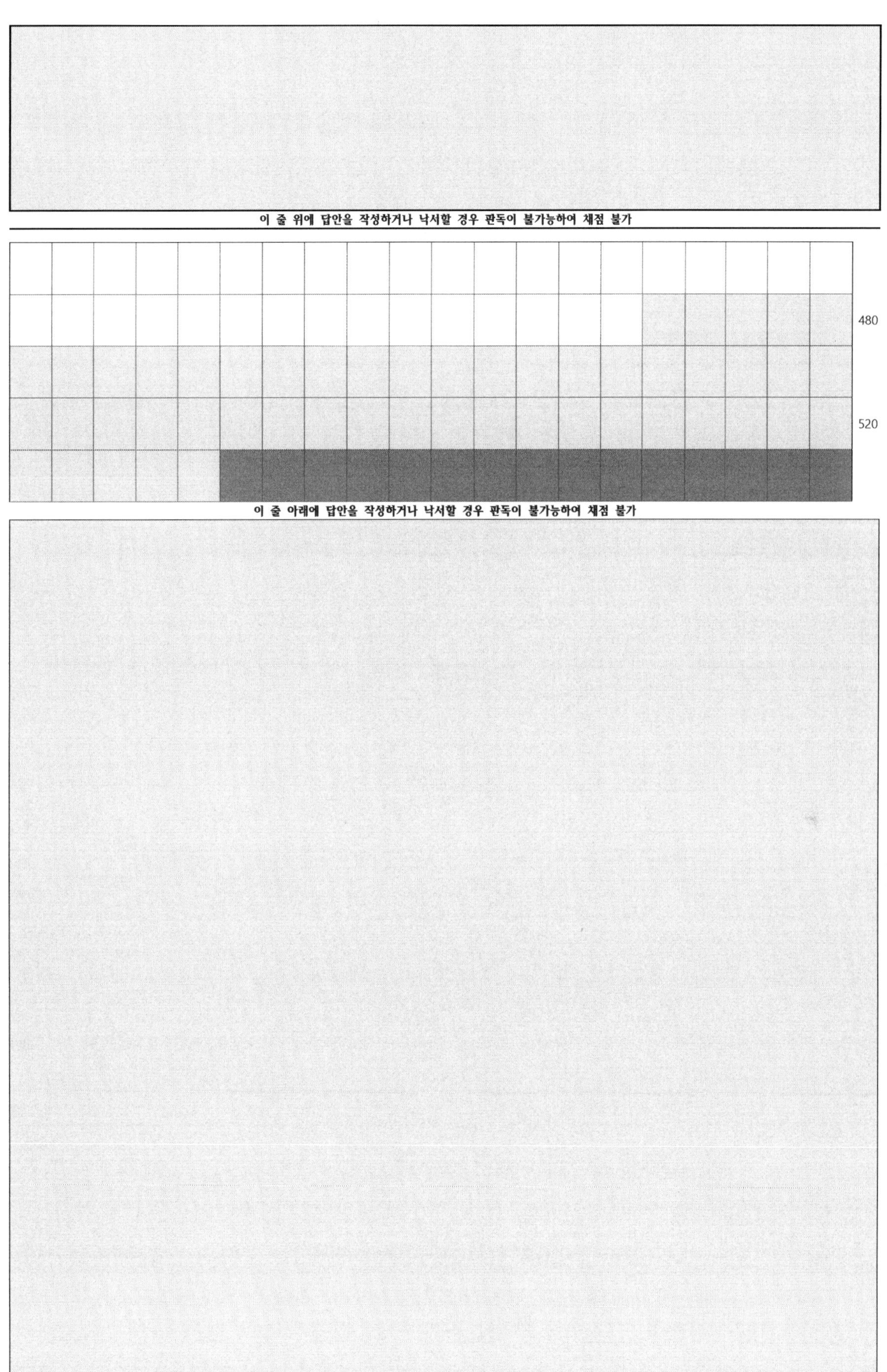
이 줄 위에 답안을 작성하거나 낙서할 경우 판독이 불가능하여 채점 불가
480
520
이 줄 아래에 답안을 작성하거나 낙서할 경우 판독이 불가능하여 채점 불가

6. 2022학년도 덕성여대 수시 논술

※ 다음 제시문을 읽고 아래의 문제에 답하시오.

<가>

연민(compassion)은 다른 사람이 부당하게 불행을 겪고 있다는 인식에 의해 초래되는 고통스러운 감정이다. 아리스토텔레스는 연민을 다른 사람의 불행이나 괴로움에 대해 느끼는 고통스러운 감정으로 보았다. 연민은 세 가지의 인지적 필요조건을 갖고 있다. 첫 번째는 고통이 사소하기보다는 심각한 것이라는 믿음 또는 평가이다. 두 번째는 해당되는 사람이 고통을 당해서는 안 된다는 믿음이다. 세 번째는 이 감정을 느끼는 사람의 가능성이 고통을 겪는 사람의 가능성과 흡사하다는 믿음이다.

먼저 '심각함'을 살펴보자. 연민은 다른 주요한 감정과 마찬가지로 가치와 관련되어 있다. 그것은 문제의 인간이 잘 사는 것과 관련해 어떤 상황이 중요하다는 인지를 포함한다. 이 점은 직관적으로 아주 분명하게 확인할 수 있다. 예를 들어 우리는 칫솔이나 종이집게 같은 사소한 물품 또는 심지어 손쉽게 대체 가능한 중요한 물품을 잃어버린 사람에게 연민을 보이거나 하지는 않는다. 실제로 문제되고 있는 것이 정말로 심각하다는 판단, 즉 상황의 심각성이 크기를 갖고 있다는 판단이 우리의 정서적 반응 자체 속에 내재되어 있기 때문이다.

다음으로 '부당함'을 살펴보자. 누군가를 딱하다고 느끼는 것은 그가 겪고 있는 곤경에 그 스스로의 책임이 없거나 과중하다고 믿기 때문이다. 만약 본인 잘못으로 인해 슬픔에 이르게 되었다고 믿는 한 그를 딱하게 여기기보다는 꾸짖고 질책할 것이다.

마지막으로 '나도 비슷하게 될 가능성'에 대한 판단을 살펴보자. 연민은 자기 자신이나 자신이 사랑하는 사람이 겪으리라고 예상되는 불행과 관련되어 있다. 따라서 고통을 얼마간 경험하고 이해한 사람들만이 그것을 이해할 것이다. 만약 누군가가 고통을 겪거나 곤경에 빠질 가능성이 전혀 없다면 그 사람은 연민을 느끼지 않을 것이다.

반면 감정이입(empathy)은 다른 사람의 경험을 어떤 식으로든 특별히 가치평가하지 않고 상상적으로 재구성하는 것이다. 감정이입은 대개는 숙련된 메소드 연기자의 정신적 준비와 비슷하다. 그것은 고통 받는 사람의 상황을 참여적으로 행위화하는 것을 포함하지만 그 연기자 자신은 고통 받는 사람이 아니라는 인식과 결합되어 있다. 여기서는 일종의 '이중적 주목'이, 즉 고통 받는 사람의 위치에 있다는 것이 어떨까하고 상상할 뿐만 아니라 동시에 확실하게 나는 그러한 위치에 있지 않다는 의식을 간직하는 것이 요구되는 것처럼 보인다. 심리학과 정신분석 문헌에서 분석가가 환자에게 표하는 공감뿐만 아니라 환자 자신의 공감 능력을 논하면서 가장 흔하게 감정이입이라고 묘사되는 것이 이러한 종류의 이중적 주목이다.

- 마사 누스바움, 감정의 격동

<나>

어느 날 제선왕(齊宣王)이 당상(堂上)에 앉아 있었는데 소를 끌고 당하(堂下)로 지나가는 하인이 있었다. 왕이 이를 보고 물었다.

"소를 어디로 데려가느냐?"

하인이 머리를 조아리며 대답했다.

"새로 종(鍾)을 주조(鑄緑)하였는데, 이 소를 죽여 그 피로 틈을 메우기 위해 데려가는 중입니다."

왕이 얼굴을 찡그리며 말했다.

"그 소를 놓아주도록 하여라. 나는 그 놈이 두려워 벌벌 떨며 죄 없이 사지(死地)로 나아감을 차마 보지 못하겠느니라."

하인이 대답했다.

"전하, 그러면 짐승의 피를 종의 틈에 바르는 흔종(釁鍾)*의 예를 폐지하오리까?"

왕이 말했다.

"어찌 흔종의 예를 폐지할 수 있겠는가? ㉠<u>소를 양(羊)으로 바꾸어 쓰도록 하여라</u>."

- 맹자(孟子)

* 흔종(釁鍾): 새로 종을 주조하여 완성되면, 짐승을 잡아 피를 내어서 그 틈에 바르는 것을 말함.

<다>

㉡<u>거미 새끼 하나 방바닥에 나린 것을 나는 아무 생각 없이 문밖으로 쓸어 버린다</u>
차디찬 밤이다

어니젠가 새끼 거미 쓸려 나간 곳에 큰 거미가 왔다
나는 가슴이 짜릿한다
나는 또 큰 거미를 쓸어 문밖으로 버리며
찬 밖이라도 새끼 있는 데로 가라고 하며 서러워한다

이렇게 해서 아린 가슴이 싹기도 전이다
어데서 좁쌀알만 한 알에서 가제 깨인 듯한 발이 채 서지도 못한 무척 작은 새끼 거미가 이번엔 큰 거미 없어진 곳으로 와서 아물거린다
나는 가슴이 메이는 듯하다
내 손에 오르기라도 하라고 나는 손을 내어 미나 분명히 울고불고할 이 작은 것은 나를 무서우이 달아나 버리며 나를 서럽게 한다
㉢<u>나는 이 작은 것을 고이 보드라운 종이에 받아 또 문밖으로 버리며</u>
<u>이것의 엄마와 누나나 형이 가까이 이것의 걱정을 하며 있다가 쉬이 만나기나 했으면 좋으련만 하고 슬퍼한다</u>

-백석, 수라(修羅) 1936년 작(作)

【문제 1】 <가>를 활용하여 밑줄 친 ㉠, ㉡, ㉢의 심리 상태를 각각 설명하시오. (500자 내외) [100점]

※ 다음 제시문을 읽고 아래의 문제에 답하시오.

<가>

문화를 이해하는 방식에는 자신의 문화를 우월한 것으로 여기면서, 그것을 기준으로 다른 문화를 수준이 낮거나 미개하다고 판단하는 태도가 있다. 이런 태도는 자기 문화에 대한 자부심과 집단 구성원 간의 결속력을 높이기도 한다. 하지만 다른 문화에 대한 부정적인 편견을 갖게 하여 다양한 문화를 존중하기 어렵다는 문제가 있다. 또 자기 문화만을 고집하고 다른 문화와의 교류를 거부한다면, 스스로 고립되는 결과를 초래할 수 있다. 다른 사회의 문화를 우월한 것으로 여기고 추종하면서 자신의 문화를 열등하다고 생각하는 태도도 있는데, 이런 태도는 다른 문화의 좋은 점을 받아들여 자기 문화 발전의 계기를 만들기도 한다. 하지만 다른 사회의 문화를 맹목적으로 추종하여 그 문화를 무분별하게 수용할 우려가 있다. 그리고 자기 문화에 대한 정체성을 잃게 하거나 고유문화의 유지를 어렵게 할 수 있다. 한편, 어떤 사회의 특수한 자연환경, 역사적 전통, 사회적 맥락 등을 고려하여 그 사회의 문화를 이해하는 태도가 있다. 이것은 각 사회의 문화가 특수한 상황과 필요 때문에 형성된 것으로 그 사회 구성원에게는 나름의 의미와 가치가 있다고 본다. 이런 태도는 각 문화가 가진 고유성을 인정하며 그 의미와 배경을 이해하는 방식이다. 이를 통해 문화 다양성을 보존할 수 있으며 서로 다른 문화 사이에서 나타날 수 있는 갈등과 분쟁을 예방하고 해결할 수 있다. 하지만, 각 문화가 나름의 의미를 가지고 있다고 해서 모든 문화가 무조건 가치 있는 것으로 인정받을 수 있는 것은 아니다. 인간의 존엄성을 훼손하는 문화까지도 인정하려는 극단적인 태도는 경계해야 한다.

<나>

백인의 책무를 다하라 / 야만적인 전쟁을 평화로 바꾸고 / 기아로 허기진 입들을 먹이기 위해 / 질병이 사라지도록 하기 위해 / 그리고 네가 너의 목적을 달성할 때쯤 / 너를 원하는 다른 미개인들을 위해 / 다른 원주민들과 이교들에게로 시선을 돌려라 / 그들의 광기를 끝장낸다는 희망을 가지고 말이다

- 러디어드 키플링, 백인의 짐

<다>

옛날 연나라의 수도인 수릉에 한 젊은이가 살았다. 연나라는 작은 나라였다. 그 젊은이는 보잘 것 없는 작은 나라에 사는 자신의 처지를 한탄하며 큰 나라인 조나라를 동경하였다. 젊은이는 조나라에 한번이라도 가서 그곳의 훌륭한 문물을 보아야겠다고 결심하기에 이르렀다. 어느 날 그는 드디어 조나라의 수도인 한단에 가게 되었다. 그런데 그곳 사람들의 걸음걸이가 수릉 사람들의 걸음걸이와 다른 것을 보고 자신의 걸음걸이를 무척 부끄러워했다. 젊은이는 열심히 한단 사람들의 걷는 법을 흉내 냈다. 그러나 한단의 걸음걸이를 완전히 배우기도 전에 여행경비는 다 떨어져 버렸다. 이제

는 고향으로 가는 수밖에 없었다. 하지만 수릉의 젊은이는 그만 옛날의 걸음걸이마저 잊어버리고 말았다. 걷는 법을 아예 다 잊은 그는 결국 기어서 고향으로 돌아왔다.

- 장자

<라>

사티는 남편이 죽고 나서 화장할 때 아내를 산 채로 함께 화장하는 힌두교의 옛 풍습으로 가장 오래된 사례는 기원 후 510년에 행해진 것으로 추정된다. 1829년에 금지령이 내려지면서 점점 줄어들었지만, 1987년에도 18세의 한 여성이 사티로 인해 희생당한 사건이 있었다. 이에 대해 일부 사람들은 사티가 힌두 사회의 고유문화이므로 존중해줘야 한다고 주장한다.

- 시사인, 2014. 6. 24.

<마>

양반 유생들은 위정척사 운동을 전개하였다. 위정척사는 바른 것을 지키고(위정) 사악한 것을 물리치자(척사)는 뜻이다. 여기서 '바른 것'은 성리학적 사회 질서이고, '사악한 것'은 서양문물을 뜻한다. 위정척사 운동을 전개하는 유생들은 '서양 사람은 모두 금수다.'라고 생각하였다. 서구 열강이 동양을 야만으로 본 것과 비슷하다. 또한 서양에 개항한 일본도 윤리를 모르는 금수라고 여겼다. 그래서 이들은 서양의 침략과 천주교 등의 서양문물을 물리치고 유교 윤리를 지키자는 위정척사 운동을 벌였다. 특히 1880년대 초, 정부가 개화 정책을 본격적으로 추진하고 미국과 수교가 필요하다며 『조선책략』을 배포하자 위정척사 운동은 절정에 달하였다. 영남 지역 유생들이 이만손을 중심으로 집단 상소인 '만인소'를 올리자, 이에 호응하여 전국의 유생들이 『조선책략』과 정부의 개화 정책을 비판하는 상소를 올렸다.

[문제 2] <가>를 요약하고 이를 바탕으로 <나>, <다>, <라>, <마>에 드러난 문화를 이해하는 방식을 비판하시오.(500자 내외) [100점]

계 열	지 원 학 과	수 험 번 호	생년월일(예:041123)	유 의 사 항
인 문 계 열				1. 답안지는 흑색 으로 원고지 사용법에 따라 작성하여야 합니다. 2. 수험번호와 생년월일을 숫자로 쓰고 컴퓨터용 사인펜으로 ● 표기하여야 합니다. 3. 답안의 작성영역을 벗어나지 않도록 각별히 유의 바라며, 인적사항 및 답안과 관계없는 표기를 하는 경우 결격처리 될 수 있습니다.

성 명

※ 감독관 확인란

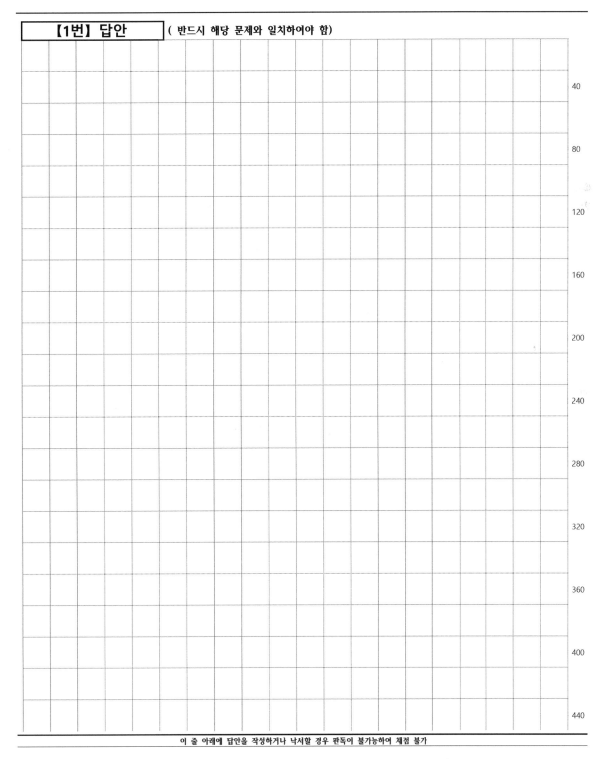

【1번】 답안 (반드시 해당 문제와 일치하여야 함)

이 줄 아래에 답안을 작성하거나 낙서할 경우 판독이 불가능하여 채점 불가

이 줄 위에 답안을 작성하거나 낙서할 경우 판독이 불가능하여 채점 불가

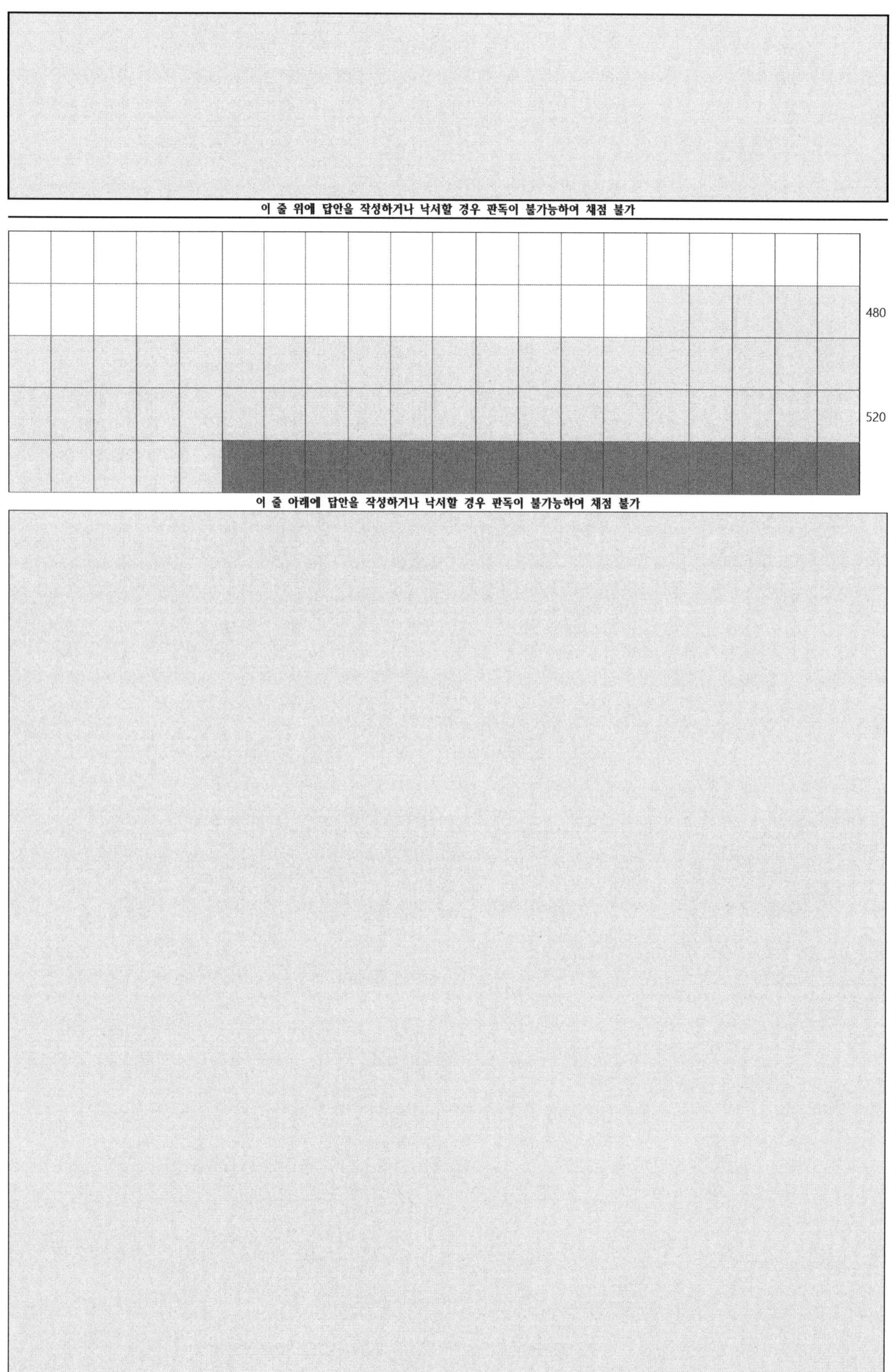

이 줄 아래에 답안을 작성하거나 낙서할 경우 판독이 불가능하여 채점 불가

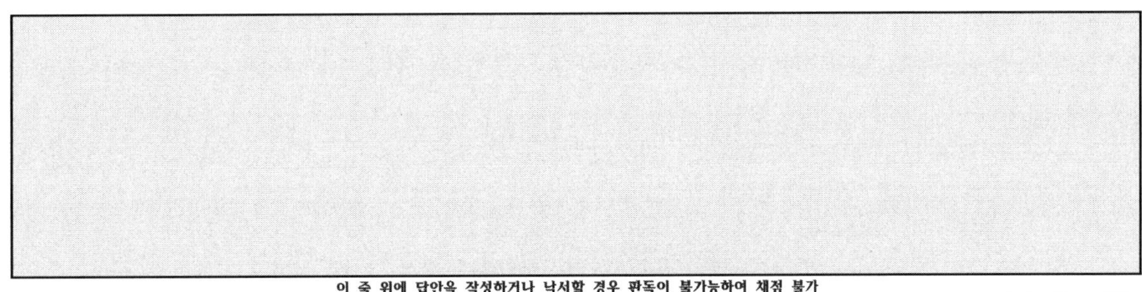

이 줄 위에 답안을 작성하거나 낙서할 경우 판독이 불가능하여 채점 불가

【2번】 답안 (반드시 해당 문제와 일치하여야 함)

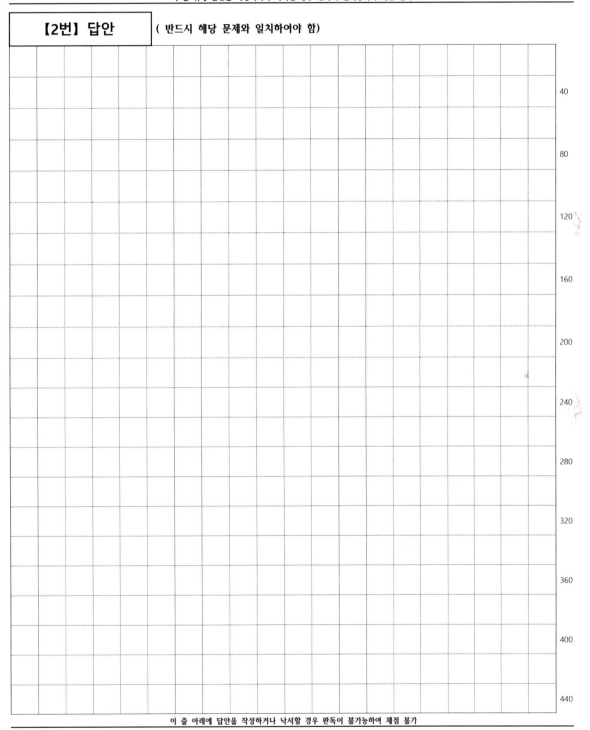

이 줄 아래에 답안을 작성하거나 낙서할 경우 판독이 불가능하여 채점 불가

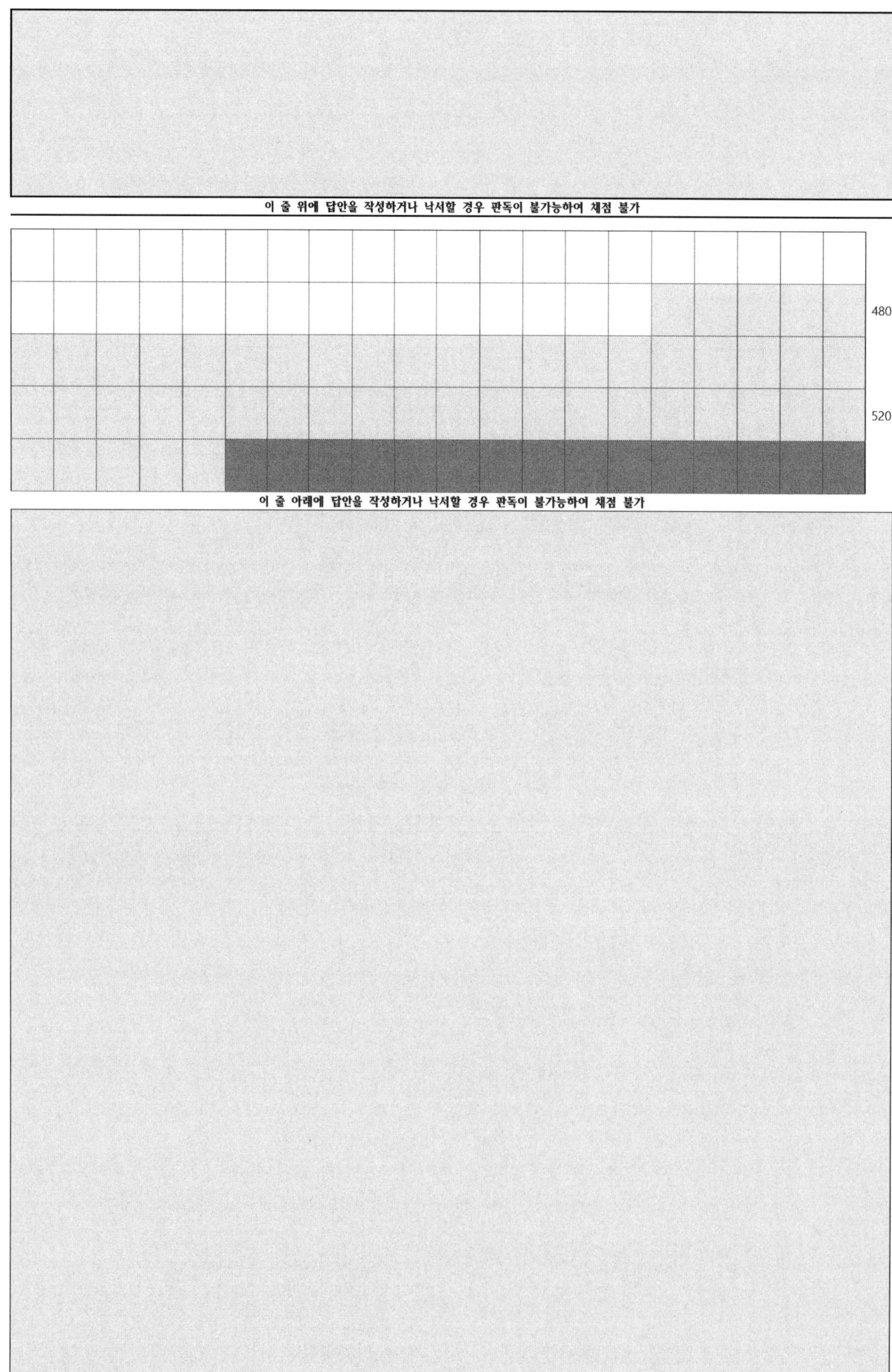

이 줄 위에 답안을 작성하거나 낙서할 경우 판독이 불가능하여 채점 불가
480
520
이 줄 아래에 답안을 작성하거나 낙서할 경우 판독이 불가능하여 채점 불가

7. 2022학년도 덕성여대 모의 논술

※ 다음 제시문을 읽고 아래의 문제에 답하시오.

<가>

1999년 신경 과학 분야의 국제 학술지인 『퍼셉션』에 「우리 가운데에 있는 고릴라」라는 제목으로 실린 논문이 있다. 당시 하버드 대학교 심리학과의 대니얼 사이먼스와 크리스토퍼 차브리스는 사람들을 대상으로 흥미로운 실험을 하였다. 그들은 흰옷과 검은 옷을 입은 학생 여러 명을 두 조로 나누어 같은 조끼리만 이리저리 농구공을 주고받게 하고 그 장면을 동영상으로 찍었다. 그리고 이를 사람들에게 보여 주고 이렇게 주문하였다. "검은 옷을 입은 조는 무시하고 흰옷을 입은 조의 패스 횟수만 세어 주세요."라고. 동영상은 1분 남짓이었으므로 대부분의 사람들은 어렵지 않게 흰옷을 입은 조의 패스 횟수를 맞히는 데 성공하였다. 그리고 그들 중 절반은 왜 이런 간단한 실험을 하는지 목적을 파악하지 못해 고개를 갸웃거렸다.

사실 실험의 목적은 따로 있었다. 실험 참가자들에게 보여 준 동영상 중간에는 고릴라 의상을 입은 한 학생이 걸어 나와 가슴을 치고 퇴장하는 장면이 무려 9초에 걸쳐 등장한다. 재미있는 사실은 **㉠동영상을 본 사람들 중 절반은 자신이 고릴라를 보았다는 사실을 전혀 인지하지 못했다는 것이다**. 나머지 절반은 고릴라를 알아보고 황당하다는 반응을 보였다. 심지어 고릴라를 인지하지 못한 이들에게 고릴라의 등장 사실을 알려 주고 동영상을 다시 보여 주자, 분명 먼젓번 동영상에서는 고릴라가 등장하지 않았다고 말하는 사람도 있었다. 그러면서 실험자가 자신을 놀리려고 다른 동영상을 보여 준 것이 아니냐는 의심을 하기도 하였다. 도대체 왜 이들은 고릴라를 보지 못한 것일까?

<나>

코끼리의 생김새는 소 몸뚱어리에 당나귀 꼬리를 하고 낙타 무릎에 범 발톱을 하고 있다. 짧은 털에 그 색은 잿빛이고 생김새는 어질어 보이지만 우는 소리가 구슬프다. 귀는 구름을 드리운 듯하고 눈은 초승달 같다. 양쪽 어금니의 둘레는 두 아름이나 되고 그 길이는 사람의 키를 넘길 정도다. 코는 어금니보다 긴데 자벌레처럼 구부리고 펼 수 있고 굼벵이처럼 말아 감을 수도 있다. 코끝은 누에 꼬리와 같은데 족집게처럼 물건을 잡아서 둘둘 말아 입에 집어넣기도 한다. 어떤 사람은 코를 주둥이인 줄 알고 다시 코가 어디 있는지 찾기도 하는데, 코가 이렇게 생겼을 줄은 짐작도 하지 못해서이다. 그래서 **㉡코끼리 다리를 다섯 개라 말하는 이도 있다**. (중략) 이것은 생각의 깊이가 기껏해야 말이나 소, 닭이나 개 정도에 머물 뿐, 용이나 봉황, 거북이나 기린에는 미치지 못한 까닭이다. 코끼리가 범을 만나면 코로 때려 죽일 수도 있으므로 그 코는 천하무적이라 할 수 있다. 그러나 쥐를 만나면 코를 써 볼 도리가 없어 하늘만

쳐다보고 서 있을 뿐이다. 그렇다고 해서 쥐가 범보다 무섭다고 한다면 이치에 맞는 것이라 할 수 없다. 저 코끼리는 눈으로 볼 수 있는 사물임에도 이처럼 그 이치를 알 수 없는데, 하물며 천하의 사물은 코끼리보다 일만 배나 알기 어려우니 어찌하겠는가!

- 박지원, 『열하일기』

<다>

영국의 경험주의 철학자 로크(Locke)는 우리가 어떻게 지식을 갖는가 하는 물음에 '감각과 반성을 통해서'라고 답변한 바 있다. 우리가 지식을 얻게 되는 과정의 첫 단계는 '감각(sensation)'이다. 외부의 사물은 우리의 감각기관을 통해 시각, 촉각, 청각 등의 감각으로 우리 의식에 들어온다. 이러한 감각을 통해 얻어진 정보들은 '반성(reflection)'이라 부르는 정신 작용, 즉 비교, 사고, 의심, 추리, 믿음 등을 통해 외부의 감각만으로는 얻을 수 없는 새로운 '지식'으로 종합된다. 예를 들어, 우리가 '하늘색'에 대한 관념을 가질 때, 이 관념은 감각을 통해 들어온 하늘의 색깔에 대해 주목함으로 획득되며, 이렇게 일차적으로 받아들인 '하늘색'은 기존의 경험으로 알고 있는 지식, 이를테면 바다의 색깔과의 비교, 추론을 통해서 하늘과 바다가 공통적으로 파란색의 속성을 지니고 있음을 인식하게 되는 것이다. 더 나아가, 두 가지 파란색의 차이를 사고하는 과정을 통해서 우리는 채도(colorfulness)나 명도(brightness) 등의 지식을 생각해 낼 수 있게 된다. 이처럼, 로크가 말하는 '반성(reflection)'은 감각을 통해 일차적으로 받아들인 관념들을 의식이 소화하고 정리하는 정신 작용을 말한다.

- 로크, 『인간지성론』

<라>

내가 그의 이름을 불러 주기 전에는
ⓒ<u>그는 다만</u>
<u>하나의 몸짓에 지나지 않았다</u>.

내가 그의 이름을 불러 주었을 때
그는 나에게로 와서
꽃이 되었다.

내가 그의 이름을 불러 준 것처럼
나의 이 빛깔과 향기에 알맞은
누가 나의 이름을 불러 다오.
그에게로 가서 나도
그의 꽃이 되고 싶다.

우리들은 모두
무엇이 되고 싶다.
너는 나에게 나는 너에게
잊혀지지 않는 하나의 향기가 되고 싶다.

- 김춘수, 「꽃」

【문제 1】 〈다〉를 토대로 〈가〉의 ㉠과 〈나〉의 ㉡을 비교하고, 그 결과를 활용하여 〈라〉의 ㉢에 제시된 문제 상황에 대해서 논술하시오. (500자 내외) [100점]

※ 다음 제시문을 읽고 아래의 문제에 답하시오.

<가>

시장 경제가 제대로 작동하기 위해서는 이를 뒷받침할 수 있는 여러 가지 사회제도가 필요하다. 시장 경제에서는 개별 경제 주체들에게 자신의 이익을 좇아 생산, 교환, 소비, 직업 선택, 계약 등을 자유롭게 할 수 있는 경제적 자유가 보장되어 있다. 개별 경제 주체들이 자신의 이익을 추구하면서도 가격 기구에 의해 사회의 자원 배분이 원활하게 이루어진다는 것이 시장 경제의 중요한 특징이다. 시장 경제 체제에서는 개인이 재산을 배타적으로 사용하고 처분할 수 있는 사유재산권을 법적으로 보장한다. 사유재산권이 보장되므로 사람들은 자신이 보유한 재산이나 자원을 좀 더 효율적으로 사용하고자 노력한다. 자원을 효율적으로 사용하여 발생하는 이익을 자신이 가질 수 있기 때문이다. 개별 경제 주체가 자유롭게 자기 이익을 추구하는 시장 경제에서는 가격 기구를 통해 자원 배분이 효율적으로 이뤄지는데, 그 이유는 시장에 경쟁이 존재하기 때문이다. 생산자는 시장에서 살아남기 위해 더 좋은 품질의 상품을 더 싼 가격에 공급하려고 서로 경쟁하고, 소비자는 자신이 필요로 하는 상품을 구매하기 위해 서로 경쟁한다. 그 결과 소비자는 값싸고 질 좋은 제품을 소비할 수 있게 되고, 그러한 질 좋은 제품을 싼 비용으로 공급하는 기업은 그만큼 더 큰 이윤을 얻게 된다.

<나>

15, 16세기 동아시아는 명의 조공·책봉 체제에 편입되어 있었다. 명은 건국 초부터 해금 정책을 펴 조공 무역을 허용하고 사무역을 통제하였다. 명은 해금 정책을 통해 반명 세력과 결탁할 가능성이 있는 해적 집단(왜구 등)을 단속하고, 조공·책봉 체제로 황제의 통치권을 강화하고자 하였다. 조공 무역은 주변 국가의 공물과 명의 답례품이 교환되는 방식이다. 특히 부족한 재원을 마련하여야 했던 무로마치 막부는 명의 왜구 근절 요구를 수용하는 책봉을 받고, 명이 밀무역을 단속하기 위해 발행한 무역 허가증을 사용하여 명과 무역을 할 수 있었다.

<다>

고대 아메리카 대륙에서 번영했던 아스테카 문명과 잉카 문명은 신항로 개척 이후 에스파냐의 코르테스와 피사로가 이끈 병사들에게 파괴되었다. 에스파냐인들은 아메리카를 정복한 후 원주민을 동원해 금과 은을 채굴하고 대농장에서 사탕수수와 담배를 재배하였는데, 상업적 이익을 남기기 위해 아메리카 대륙에 한 가지 작물만 집중적으로 재배하게 하였다. 에스파냐인들이 강요한 단일 경작은 이후 라틴 아메리카의 대외 의존도를 높이는 부작용을 낳기도 하였다.

<라>

어느 날, 변 씨가 오 년 동안에 어떻게 백만 냥이나 되는 돈을 벌었던가를 조용히 물어보았다. 허생이 대답하기를, "그야 가장 알기 쉬운 일이지요. (중략) 대개 만 냥을 가지면 족히 한 가지 물종을 독점할 수 있기 때문에, 수레면 수레 전부, 배면 배를 전부, 한 고을이면 한 고을을 전부, 마치 총총한 그물로 훑어 내듯 할 수 있지요. 뭍에서 나는 만 가지 중에 한 가지를 슬그머니 독점하고, 물에서 나는 만 가지 중에 슬그머니 하나를 독점하고, 의원의 만 가지 약재 중에 슬그머니 하나를 독점하면, 한 가지 물종이 한곳에 묶여 있는 동안 모든 장사치들이 고갈될 것이매, 이는 백성을 해치는 길이 될 것입니다. 후세에 당국자들이 만약 나의 이 방법을 쓴다면 반드시 나라를 병들게 만들 것이오."

【문제 2】 <가>의 글을 읽고, 시장 경제를 뒷받침하기 위한 제도가 갖추어야 할 주요한 조건을 정리한 뒤, 이 정리의 일부를 사용하여 <나>, <다>, <라>에 명시된 경제활동을 비판하시오. (500자 내외) [100점]

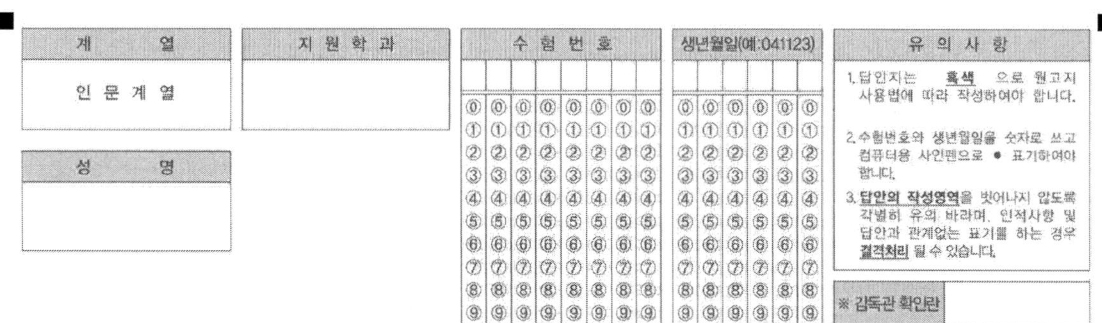

계열	지원학과	수험번호	생년월일(예:041123)	유의사항
인문계열				1. 답안지는 **흑색** 으로 원고지 사용법에 따라 작성하여야 합니다. 2. 수험번호와 생년월일을 숫자로 쓰고 컴퓨터용 사인펜으로 ● 표기하여야 합니다. 3. **답안의 작성영역**을 벗어나지 않도록 각별히 유의 바라며, 인적사항 및 답안과 관계없는 표기를 하는 경우 **결격처리** 될 수 있습니다.

성명

※ 감독관 확인란

【1번】 답안 **(반드시 해당 문제와 일치하여야 함)**

이 줄 아래에 답안을 작성하거나 낙서할 경우 판독이 불가능하여 채점 불가

이 줄 위에 답안을 작성하거나 낙서할 경우 판독이 불가능하여 채점 불가

480

520

이 줄 아래에 답안을 작성하거나 낙서할 경우 판독이 불가능하여 채점 불가

이 줄 위에 답안을 작성하거나 낙서할 경우 판독이 불가능하여 채점 불가

【2번】 답안 (반드시 해당 문제와 일치하여야 함)

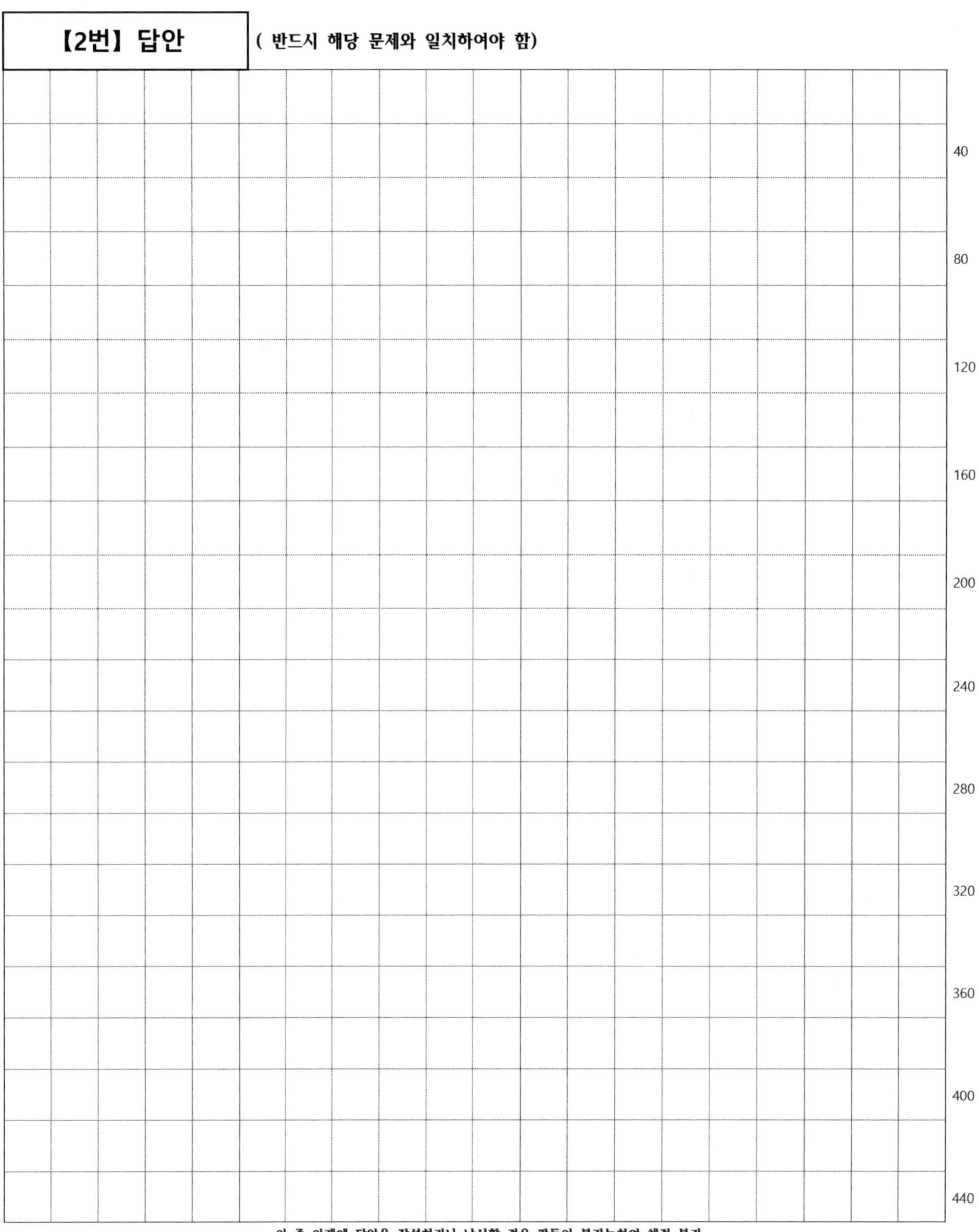

이 줄 아래에 답안을 작성하거나 낙서할 경우 판독이 불가능하여 채점 불가

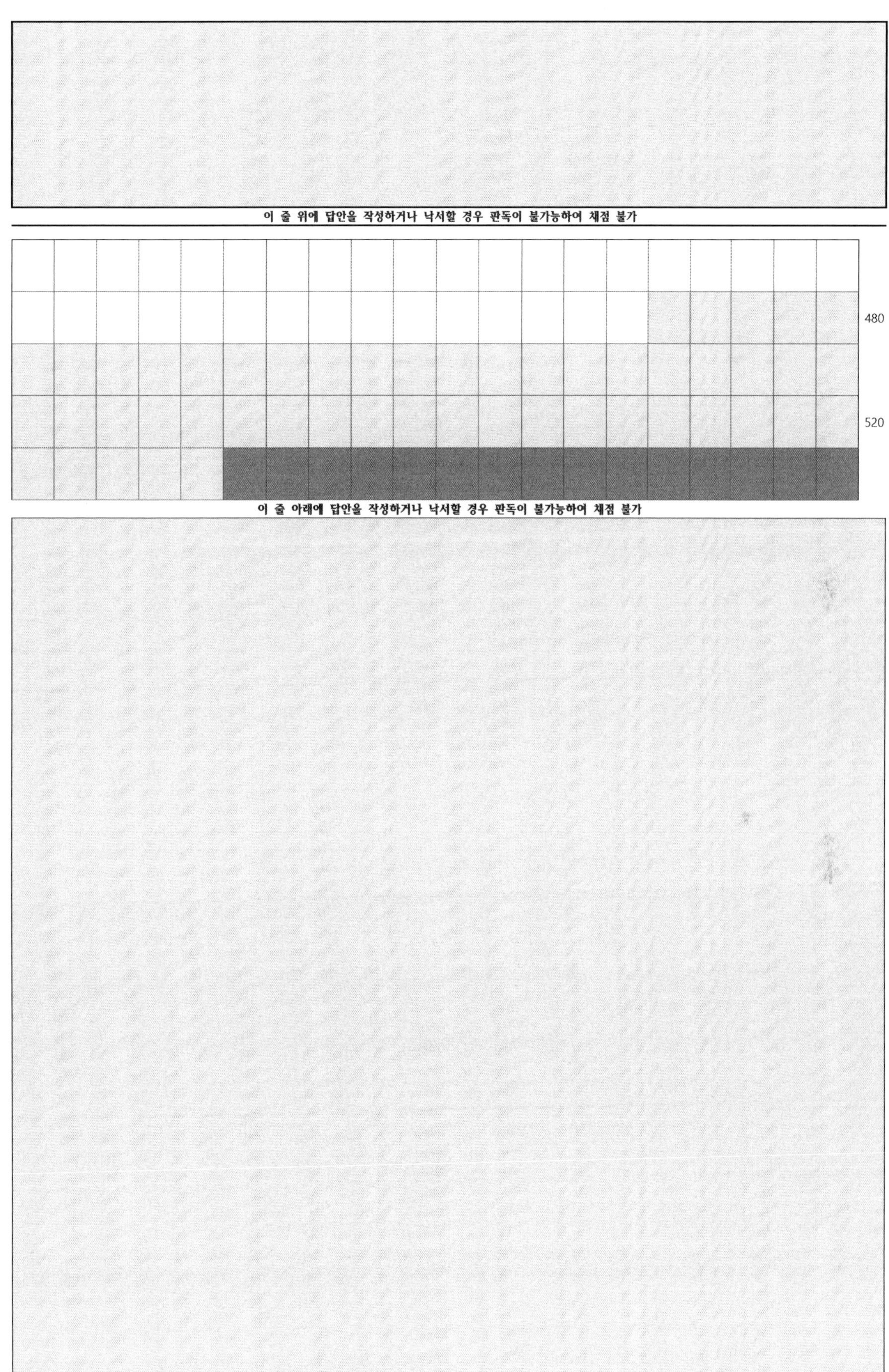
이 줄 위에 답안을 작성하거나 낙서할 경우 판독이 불가능하여 채점 불가
480
520
이 줄 아래에 답안을 작성하거나 낙서할 경우 판독이 불가능하여 채점 불가

8. 2021학년도 덕성여대 수시 논술

※ 다음 제시문을 읽고 아래의 문제에 답하시오.

<가>

나는 저녁마다 물에 탈색제 한 알을 풀어 세수했고, 저녁이면 내가 얼마나 하얘졌나 보려고 거울 앞으로 달려갔다. 푸른 새벽 공기 속에서 하얗게 각질이 일어난 내 얼굴을 볼 때면 가슴이 설레었다. 내가 바라는 건 미국 사람처럼 되는 게 아니었다. 그냥 한국 사람만큼만 하얗게, 아니 노랗게 되기를 바랐다. 여름 숲의 뱀처럼, 가을 낙엽 밑의 나방처럼 나에게도 보호색이 필요했다. 남의 눈에 띄지 않고 조용히 살아갈 수 있도록, 비비총을 새로 산 남자애들의 첫 번째 표적이 되지 않고, 적이 필요한 아이들의 왕따가 되지 않고, 달리기를 할 때 뒤에서 밀치고 싶은 까만 방해물로 비치지 않도록, 나는 하루도 거르지 않고 탈색제를 썼다. 그러던 어느 날, 세수를 하고 있는데 누군가 내 세숫대야의 물을 거칠게 쏟아 버렸다. 고개를 들어보니 아버지였다. 아버지는 탈색제가 든 비닐봉지를 수돗가에 내동댕이쳤다. 나는 뒷덜미를 잡힌 채 방으로 질질 끌려 들어가 멍이 시퍼렇게 들도록 종아리를 맞았다. 그날 밤, 오랜만에 술 냄새를 풍기며 자정이 다 되어 들어온 아버지는 주머니에서 베이비 로션을 꺼냈다. 그러고는 붉은 실핏줄이 보일 만큼 껍질이 벗겨진 내 얼굴에 로션을 잔뜩 발라 주었다. 투박하고 거친 손바닥으로 뺨을 아프도록 쓰다듬으면서. 그러고 나서 아버지는 이불을 머리끝까지 뒤집어쓰더니 잠들기 직전까지 흐느꼈다. 가끔 뜻을 알 수 없는 네팔 말을, 몹시 지친 목소리로 중얼거리며.

김재영, 『코끼리』 부분

<나>

서울은 나에게 쌀을 발음해 보세요, 하고 까르르 웃는다
또 살을 발음해 보세요, 하고 까르르까르르 웃는다
나에게는 쌀이 살이고 살이 쌀인데 서울은 웃는다
쌀이 열리는 쌀 나무가 있는 줄만 알고 자란 그 서울이
농사짓는 일을 하늘의 일로 알고 살아온 우리의 농사가
쌀 한 톨 제 살점같이 귀중히 여겨 온 줄 알지 못하고
제 몸의 살이 그 쌀로 만들어지는 줄도 모르고
그래서 쌀과 살이 동음동의어이라는 비밀 까마득히 모른 채
서울은 웃는다

정일근, 「쌀」, 『오른손잡이의 슬픔』에서

<다>

이불홑청을 꿰매면서
속옷 빨래를 하면서
나는 부끄러움의 가슴을 친다
똑같이 공장에서 돌아와 자정이 넘도록
설겆이에 방청소에 고추장단지 뚜껑까지
마무리하는 아내에게
나는 그저 밥 달라 물 달라 옷 달라 시켰었다

동료들과 노조일을 하고부터
거만하고 전제적인 기업주의 짓거리가
대접받는 남편의 이름으로
아내에게 자행되고 있음을 아프게 직시한다

명령하는 남자, 순종하는 여자라고
세상이 가르쳐 준 대로
아내를 야금야금 갉아먹으면서
나는 성실한 모범근로자였었다

박노해, 「이불을 꿰매면서」 부분

<라>

'너'와의 관계에 있는 '나'는 전혀 다른 모습으로 등장한다. 그때의 '나'는 인격 전체이며, 다른 무엇과도 대체될 수 없는 유일한 존재이다. 물론 '나'와 관계를 맺는 '너'도 그 인격 전체로 '나'의 앞에 서게 되는 것이다. '나'와 '그것'의 관계는 주체와 객체의 관계이자 차등의 관계이지만, '나'와 '너'의 관계는 주체와 주체의 동격 관계이며, 두 유일무이한 존재들의 대등 관계이다. 그때의 '나'를 진정한 나라고 할 수 있는 것이다.

손봉호, 「나는 누구인가」 부분

<마>

소크라테스는 '비판적 질문하기'라는 자신의 이상에 충실했던 결과로 목숨을 잃었다. 소크라테스의 모범은 서구 전통에서 중요한 흐름을 형성해 온 교양 교육의 이론과 실제에 핵심적인 중요성을 갖고 있다. 모든 학생들이 철학과 여타 인문학 교육을 받아야 한다고 주장하는 이유는, 그러한 교육이 학생들에게 스스로 사고하고 주장을 펴는 습관을 길러 줄 것이며, 그렇게 길러진 능력이 민주주의를 위해 매우 소중하다고 믿기 때문이다.

소크라테스식 사고는 어떠한 민주주의에서도 중요하다. 그 중에서도 인종, 계급, 종교적으로 다른 사람들로 구성된 사회에서 그것은 특히 중요하다. 자신의 논리에 책임을 지고 이성(理性)을 존중하는 분위기 속에서 타자들과 생각을 교환하는 것은, 한 나라 안에서뿐만 아니라 갈수록 인종과 종교적 갈등으로 양극화되고 있는 세계에서 '차이'들을 평화적으로 해결하는 데 결정적으로 중요하다.

마사 누스바움, 「인문학 교육과 민주주의」 부분

【문제 1】 <가>, <나>, <다>에 나타난 문제 상황을 분석하고 공통점을 서술한 후, 그 공통된 문제 상황을 해결하기 위한 한국 교육의 방향을 <라>, <마>의 내용을 바탕으로 논하시오.

※ 다음 제시문을 읽고 아래의 문제에 답하시오.

<가>

우리가 정해진 시간에 교복을 입고 학교에 가는 것, 정해진 수업을 듣고 식당에서 점심을 먹는 것, 학교에서 선생님께 머리를 숙여 인사를 하는 것 등은 한국 사회 구조의 한 형태인 학교 구조의 영향을 받아 이루어진 행위이다. 이렇게 개인의 행위가 개인이 좌우할 수 없는 사회 구조의 영향을 받아 이루어진다는 점에서, 사회 구조는 개인의 사고와 행위를 강제하는 외적인 힘이라고 할 수 있다. 이는 각기 다른 사회에서 태어나 성장한 사람들의 행동 방식이 다르게 나타나는 사실에서도 확인할 수 있다. 예를 들어, 미국에서는 서로 마주 서서 손을 잡고 위아래로 흔들며 인사를 하고, 타이에서는 두 손을 모으고 팔과 팔꿈치를 몸에 붙인 합장 자세에서 상대방에게 고개를 숙여 인사를 하며, 미얀마에서는 팔짱을 낀 채 고개를 숙여 인사를 한다. 이렇게 사회마다 인사 방식이 다른 이유는 사람들의 행동이 사회 구조의 영향을 받기 때문이다. 그러나 사회 구조만 일방적으로 개인에게 영향을 주는 것은 아니다. 인간의 주체적인 노력으로 사회 구조가 변화하기도 한다. 과거 많은 사회에서는 일부 특권 계층만이 교육을 받을 수 있었다. 그러나 사람들은 이에 대한 문제를 인식하고 공교육 및 의무교육의 확대를 요구하였고, 그 결과 대중 교육이 보편화되어 대부분의 사람들이 교육을 받을 수 있게 되었다. 이는 인간의 주체적인 노력으로 사회 구조가 바뀐 것이라고 할 수 있다.

<나>

「난쟁이가 쏘아 올린 작은 공」은 같은 제목의 연작 소설 중 하나이다. 1부에는 ‘영수’가 서술자로 등장한다. 2부와 3부에서는 각각 난쟁이의 자식들인 ‘영호’와 ‘영희’가 서술자로 등장한다. 작가가 그린 “키 백십칠 센티미터, 몸무게는 삼십이 킬로그램”의 난쟁이는 경제적, 사회적 약자로서 힘겹게 살아가는 인물이다. 그는 1970년대 경제의 생산과 소비, 분배 구조에서 억압받고 소외받는 계층을 표상하는 전형적 인물이다. 이 인물이 사는 곳은 ‘낙원구 행복동’인데, 이러한 반어적 표현을 통해 이들의 고통은 더욱 도드라진다. 이 작품에서는 세계를 ‘가진 자’와 ‘못 가진 자’의 대립으로 나누고 있다. 이러한 대립 속에서 ‘난쟁이’와 그의 가족으로 표상되는 사회적 약자들은 자신의 생존권을 지키기 위해 노력하지만 결국 패배하고 만다. 분리된 사회의 벽에 막혀 아무도 그들의 목소리를 들어 주지 않기 때문이다. 난쟁이는 끝내 인간의 땅에서 희망의 길을 찾지 못한다. 난쟁이는 종이비행기를 접어 달나라로 쏘아 올리며 현실의 고통을 벗어나려 하지만 결국은 현실에 절망한다. 이 소설은 난쟁이 가족의 가난과 파멸을 통해, 1970년대 산업화 사회의 자본주의 구조 속에서 소외당하는 소시민의 삶을 고발하며 사회에 큰 파장을 남겼다.

<다>

민주 사회의 시민은 구성원의 기본권을 침해하거나 소수자를 부당하게 차별하는 정치 공동체의 법이나 정책을 시정하기 위해 노력해야 한다. 이러한 노력 중의 하나가 시민 불복종이다. 롤스는 「정의론」에서 시민 불복종이란 "법이나 정부의 정책에 변혁을 가져올 목적으로 행해지는, 공공적이고 비폭력적이며 양심적이긴 하지만 법에 반하는 정치적 행위"라고 주장하였다. 하버마스는 롤스의 입장을 수용하며 시민 불복종이 비폭력적이어야 하며, 규범을 위반한 것에 대한 처벌을 감수하는 전제하에서 행해져야 한다고 보았다.

<라>

1920년대에 접어들며 등장한 신여성은 여성에게 가해지는 억압을 타파하고자 하였다. 근대 교육을 받은 신여성들은 광범위하게 퍼져 있는 조혼이나 축첩, 강제 결혼 등을 여성 억압의 상징으로 여겼으며, 여성들의 교육·경제권뿐만 아니라 자유연애와 자유 결혼도 주장하였다. 신여성들은 여성의 사회적 지위 향상과 여성 해방을 목표로 한 사회 운동도 주도하였다. 초기에는 주로 여성 교육과 계몽을 중시하는 단체들이 설립되었는데 여성 교육을 강조한 독립운동가로 덕성여자대학교의 전신인 근화 여학교를 설립한 차미리사는 "조선 여자에게는 지금 무엇보다도 직업적 교육이 필요하다고 생각한다. 부인 해방이니 가정 개량이니 하지만은 다 제 손으로 제 밥을 찾기 전에는 해결이 아니 될 것이다."(동아일보, 1926. 1. 3.)라고 말하기도 하였다.

<마>

조선의 신분 구조는 양반, 중인, 상민, 천민으로 나뉘어 정착되었다. 양반은 원래 문반과 무반 관리를 아울러 부르던 명칭이었으나, 점차 그 가족이나 가문까지 포함한 사족(士族)을 일컫는 말로 바뀌었다. 양반은 각종 특권을 보장받았고, 기득권을 지키기 위해 향리, 서리 등 하급관리와 서얼을 중인으로 격하하였다.

중인은 넓은 의미로는 양반과 상민의 중간 신분을 뜻하지만, 좁은 의미로는 잡과를 통해 선발된 기술관을 가리킨다. 이들은 직역을 세습하고 전문 기술이나 행정 실무를 담당하였다. 상민은 생산 활동에 종사하는 농민과 수공업자, 상인 등을 말한다. 법적으로 과거를 통해 관직에 나갈 수는 있었지만, 실제 현실에서 과거 응시는 쉽지 않았다.

천민은 대부분이 노비였다. 노비는 재산으로 취급되어 매매, 상속, 증여가 가능하였다. 노비 신분은 자손에게 세습되었는데 부모 중 한쪽이 노비이면 그 자녀도 노비가 되는 것이 일반적이었다.

[문제 2] <가>의 내용을 두 가지 관점에서 요약하고 해당하는 사례를 <나>, <다>, <라>, <마>에서 선정하여 그 근거를 논술하시오. (500자 내외) [100점]

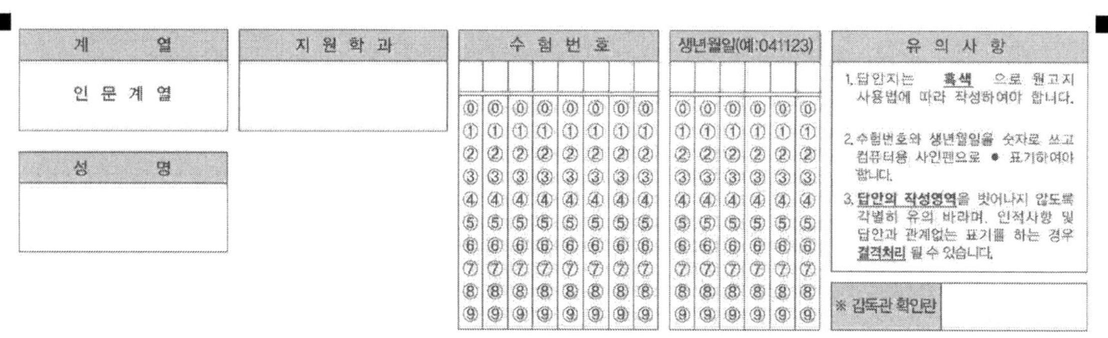

【1번】 답안 (반드시 해당 문제와 일치하여야 함)

40
80
120
160
200
240
280
320
360
400
440

이 줄 아래에 답안을 작성하거나 낙서할 경우 판독이 불가능하여 채점 불가

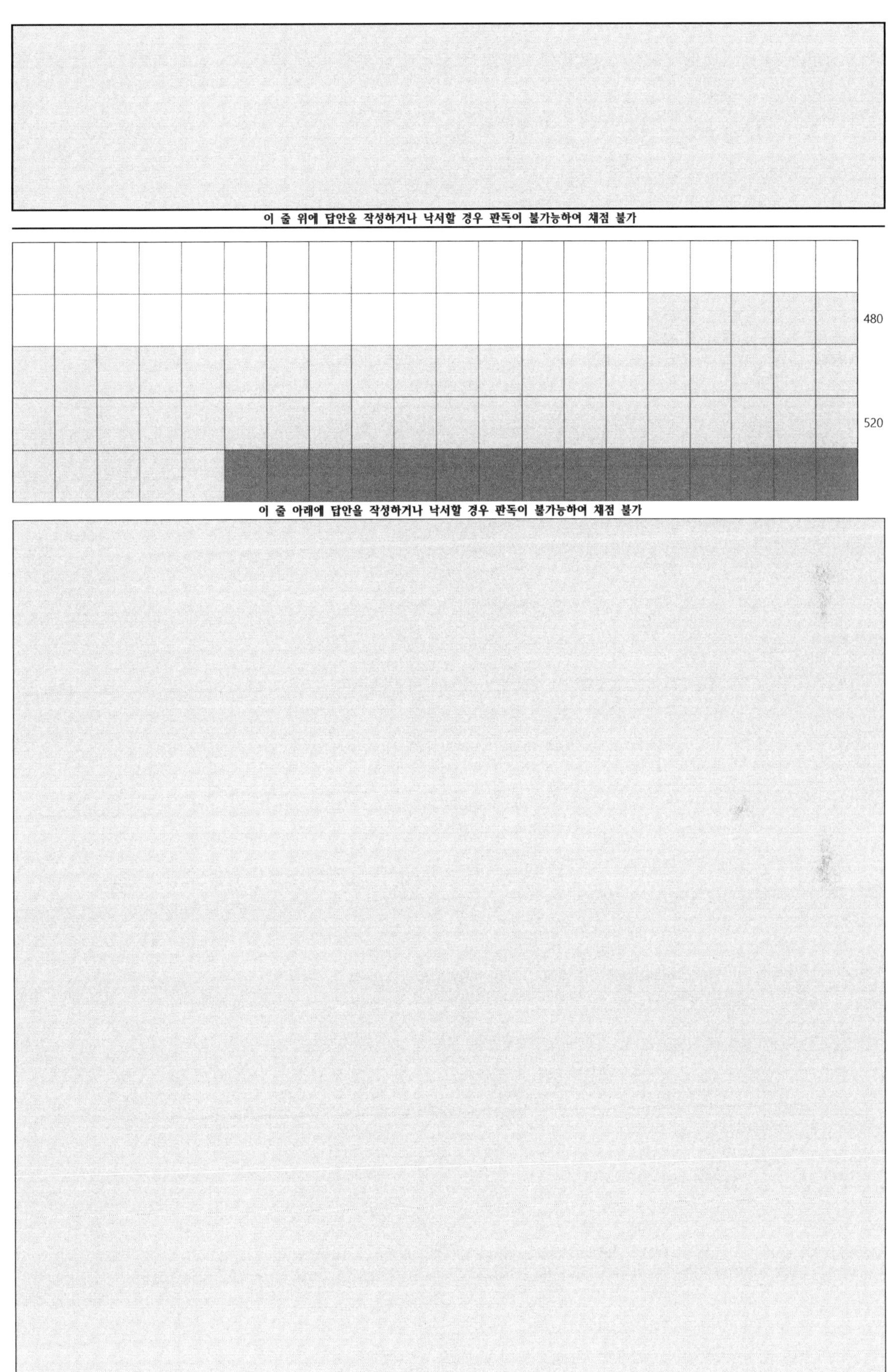
이 줄 위에 답안을 작성하거나 낙서할 경우 판독이 불가능하여 채점 불가
이 줄 아래에 답안을 작성하거나 낙서할 경우 판독이 불가능하여 채점 불가

이 줄 위에 답안을 작성하거나 낙서할 경우 판독이 불가능하여 채점 불가

【2번】 답안 (반드시 해당 문제와 일치하여야 함)

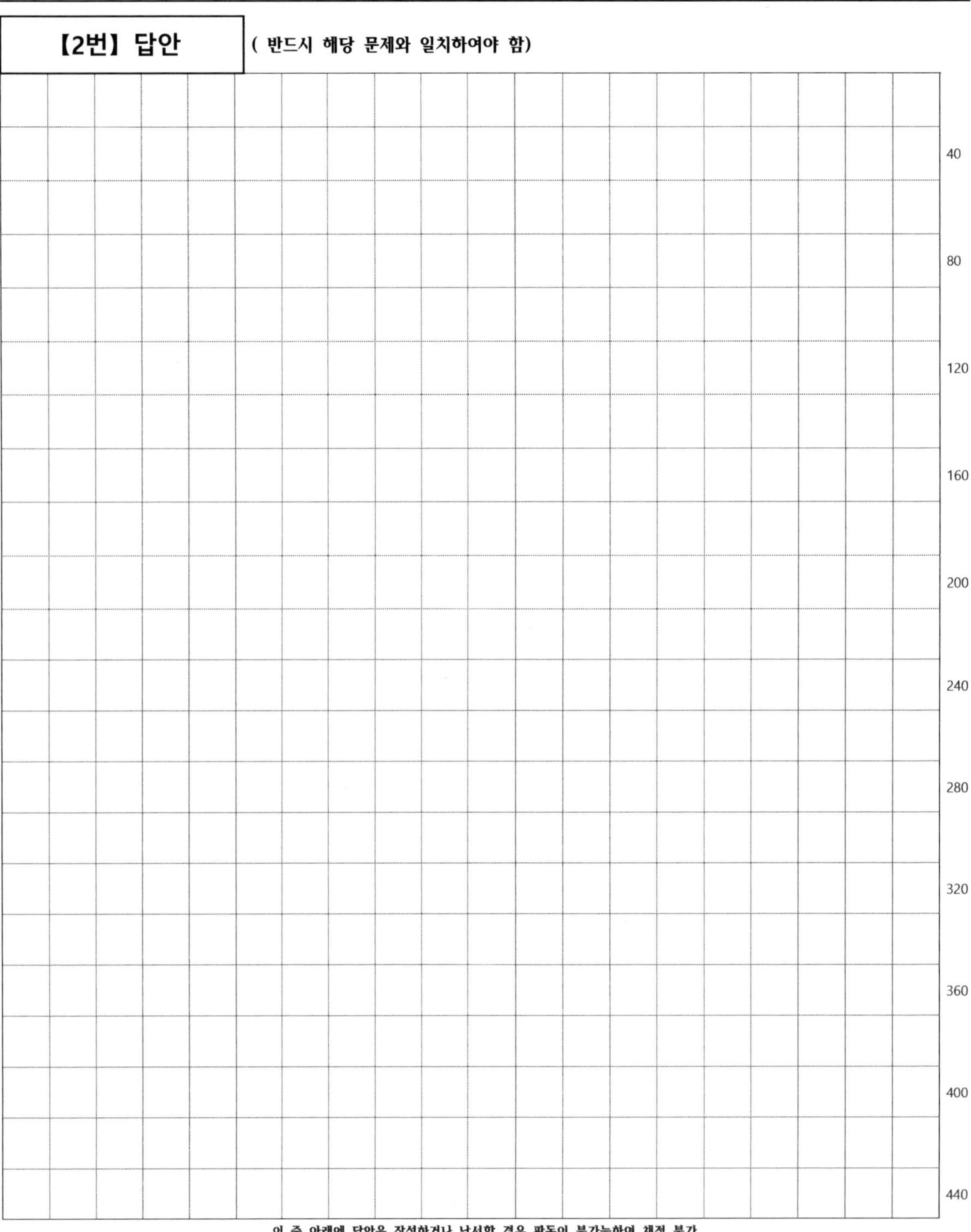

이 줄 아래에 답안을 작성하거나 낙서할 경우 판독이 불가능하여 채점 불가

이 줄 위에 답안을 작성하거나 낙서할 경우 판독이 불가능하여 채점 불가

이 줄 아래에 답안을 작성하거나 낙서할 경우 판독이 불가능하여 채점 불가

9. 2021학년도 덕성여대 모의 논술

※ 다음 제시문을 읽고 아래의 문제에 답하시오.

<가>

'이럴 줄 알았더라면 어디든지 가 숨거나, 진작 남으로라도 도피했을걸…… 그러나 이 판국에 나를 감싸 줄 사람이 어디 있담. 의지할 만한 곳은 다 나와 같은 코스를 밟았거나 조만간에 밟을 사람들이 아닌가. 일본인! 가장 믿었던 성벽이 다 무너지고 난 지금 누구를…….'

'그래도 어떻게 되겠지…….'

이 막연한 기대는 절박한 이 순간에도 그에게서 완전히 떠나 버리지는 않았다.

'다행이다. 인민 재판의 첫코에 걸리지 않은 것만 해도. 끌려간 사람들의 행방은 전연 알 길이 없다. 즉결 처형을 당하였다는 소문도 떠돈다. 사흘의 여유만 더 있었더라면 나는 이미 이곳을 떴을는지도 모른다. 다 운명이다. 아니 그래도 무슨 수가 있겠지…….'

"쪽발이 끄나풀, 야 이 새끼야."

고함 소리에 놀라 이인국 박사는 흠칫 머리를 들었다.

때도 묻지 않은 일본 병사 군복에 완장을 찬 젊은이가 쏘아보고 있다. 춘석이다.

……

"왜놈의 밑바시, 이 개새끼야."

일본 군용화가 그의 옆구리를 들이찬다.

"이 새끼, 어디 죽어 봐라."

구둣발은 앞뒤를 가리지 않고 전신을 내지른다.

……

"민족과 조국을 팔아먹은 이 개돼지 같은 놈아, 너는 총살이야, 총살……."

……

이인국 박사는 자기의 죄상이라는 것을 폭로하기도 싫었지만 예전에 고등계 형사들에게 실컷 얻어들은 지식이 약이 되어 함구령이 지상 명령이라는 신념을 일관하고 있었다. 그는 간밤에 출감한 학생이 내던지고 간 노어(露語) 회화책을 첫 장부터 곰곰이 뒤지고 있을 뿐이다. ……노어책을 읽으면서도 그의 청각은 늘 감방 속의 이야기를 놓치지 않고 있다. 그들이 예측하는 식대로의 중형으로 치른다면 자기의 죄상은 너무도 어마어마하다. 양곡조합의 쌀을 몰래 팔아먹은 것이 7년, 양민을 강제로 보국대에 동원했다는 것이 10년, 감정적인 즉결이 아니라 법에 의한 처단이라고 내대지만 이 난리 판국에 법이고 뭣이고 있을까, 마음에만 거슬리면 총살일 판인데…….

'친일파, 민족 반역자, 반일 투사 치료 거부, 일제의 간첩행위…….'

이건 너무도 어마어마한 죄상이다. 취조할 때 나열하던 그대로 한다면 고작해야 무기징역, 사형감일지도 모른다. ……

그는 눈을 감았다. 마누라, 아들, 혜숙이, 누구누구…… 그러다가 외과계의 원로 이인국 박사에 이르자, 목구멍이 타는 것같이 꽉 막혔다.

그는 헛기침을 하고 침을 삼켰다.
'그럼, 어쩐단 말이야, 식민지 백성이 별수 있었어. 날구 뛴들 소용이 있었느냐 말이야. 어느 놈은 일본놈한테 아첨을 안 했어. 주는 떡을 안 먹는 놈이 바보지. 흥, 다 그놈이 그놈이었지.'
이인국 박사는 자기 변명을 합리화시키고 나면 가슴이 좀 후련해 왔다.

- 전광용, <<꺼삐딴 리>>

<나>

밀그램은 인간의 본성에 관해 큰 의미를 던져주는 실험을 실시했다. 신문광고를 통해 모집된 실험 참여자는 교사 역할을 수행함으로써 일정한 보수를 받았다. 실험 참여자는 건너편에 분리되어 보이지 않는 학생에게 간단한 문제를 내고서 학생이 틀리면 전기 충격을 벌로 주라는 지시를 받았다. 전기 충격은 15볼트부터 시작하여 450볼트까지 틀릴 때마다 강도를 점점 높였다. 학생은 일부러 틀린 대답을 하였다. 학생에게 실제 충격이 가해지는 것은 아니었으며 교사 역할자는 인터폰을 통해 가짜 비명소리를 들었다. 충격의 강도가 올라갈수록 교사 역할자는 땀을 흘리거나 긴장을 보였고, 이는 옳지 않다는 말을 하기도 했다. 이때마다 실험복을 입은 감독자는 계속 충격을 가하라는 지시를 하면서, 동시에 모든 책임은 감독자가 아닌 실험 참여자가 진다는 말도 하였다. 실험 전에, 밀그램은 설문조사를 통해 사람들이 권력이나 상관의 부당한 지시를 거부할 것이라는 결과를 얻었다. 이로부터 그는 대다수의 실험 참여자가 150볼트 이상의 전기 충격을 주어야 하는 상황이 오면 중단할 것이며 극소수만이 450볼트의 충격을 줄 것이라고 예측했다. 그러나 실험에 참여한 사람은 예외 없이 300볼트까지 충격을 주었고, 과반수는 450볼트까지 충격을 주었다.

<다>

즉 사람의 훌륭함에 관해서 그리고 그 밖의 것들로서, 제가 대화를 하며 제 자신은 물론 다른 사람들을 캐물어 들어가는 중에 여러분이 듣게 되는 것들에 관해서 날마다 논의를 하는 것이라고, 그러니 성찰하지 않은 삶은 사람에게 살 가치가 없는 것이라고 말하면, 이런 말을 하는 저에 대 해서 여러분께서는 납득하지 못할 것입니다.

가장 훌륭한 것을 알고 있고, 또 그것을 할 수 있는데도, 그것을 하지 않고 오히려 다른 것을 하려는 사람이 많습니다. 그리고 도대체 그런 이유가 무엇이냐고 물어보면 모두 즐거움이나 괴로움에 못 이겨서 그렇다고 합니다. 즐거움에 져서 어떤 좋은 일을 하지 않고 어떤 나쁜 일을 한다고 하지만, 사실은 즐거움에 진 것이 아닙니다. 그 나쁜 일이 당장은 즐거움을 주지만 더 큰 고통을 가져다준다는 사실을 모르기 때문에 그 일을 하는 것이고, 그 훌륭한 일이 당장은 즐거움을 방해하지만 더 큰 즐거움을 가져온다는 사실을 모르기 때문에 그 훌륭한 일을 하지 않는 것입니다. 따라서 즐거움에 지는 것이 아니라 무지에 지는 것입니다. …… 자기 자신에게 지는 것은 무지와 다르지 않고, 자기 자신을 이기는 것은 지혜입니다.

- 플라톤, <<변론>>, <<프로타고라스>>

<라>

한 시민으로 실제적으로 말하자면 나는 이른바 스스로 무정부주의자라고 칭하는 자들과는 다르다. 나는 지금 정부가 없기를 원하는 것이 아니다. 나는 더 좋은 정부를 원할 뿐이다. 각 사람들로 하여금 자기가 존경할 정부가 어떤 것인가 말하게 하라. 그러면 그것이 그러한 정부를 얻는 첫 걸음이 될 것이다. ……

시민은 잠시 동안이나 혹은 아주 적은 정도라도 반드시 자기의 양심을 입법자들에게 맡겨야 하는가. 그렇다면 왜 양심이 모든 사람에게 다 있는가? 나는 이렇게 생각한다. 우리는 먼저 인간이 되고 그 후에야 다스림을 받는 국민이 되어야 한다. 법률을 정의처럼 존중하는 생각을 길러 주는 것은 바람직한 일이 못된다. 내가 마땅히 소유할 권리가 있는 단 하나의 의무, 그것은 내가 옳다고 생각하는 것을 어느 때이든 행하는 것이다.

- 소로, <<시민 불복종>>

【문제 1】 <가>의 주인공과 <나>의 실험 참여자(교사 역할자)의 공통적인 모습을 설명한 후, <다>와 <라>의 논지를 종합하여 이를 평가하시오. (500자) [100점]

※ 다음 제시문을 읽고 아래의 문제에 답하시오.

<가>

법이 실현하고자 하는 최고의 이념은 정의이다. 일반적으로 정의를 설명할 때에는 '옳다', '공평하다'등과 같은 말들을 주로 사용하지만, 시대와 사회에 따라 옳음, 공정성, 공평성 등은 다르게 규정되므로 정의가 무엇이라고 단언하기는 쉽지 않다. 하지만 법적 정의를 이야기할 때 정의의 본질을 평등이라고 보는 데에는 큰 이견이 없다. 평등을 바탕으로 한 정의는 크게 평균적 정의와 배분적 정의로 나눌 수 있다.

평균적 정의는 교환적·보상적·산술적 의미의 정의이다. 이는 차이를 고려하지 않고 누구에게나 똑같이 대우해 주는 형식적 평등을 통해 실현된다. 이와 달리 배분적 정의는 상대적·비례적·실질적 평등을 추구하는 정의이다. 이는 개인의 능력과 상황, 필요 등에 따른 차이를 반영하여 '같은 것은 같게, 다른 것은 다르게' 대우하는 것을 말한다.

<나>

보건복지부는 2017년 기준 중위 소득을 4인 가구 기준 447만 원으로 의결하였다. 인상된 기준 중위 소득에 따라 4인 가구 기준 월 소득 약 134만원 이하면 생계·의료·주거·교육 급여를 다 받고 135~179만 원 사이면 의료·주거·교육 급여를, 180~192만 원 사이면 주거·교육 급여를, 193만~223만 원 사이면 교육 급여를 받을 수 있다.

<다>

태평양 한가운데 위치한 작은 섬 아누타에는 300여명의 주민이 살고 있다. 아누타 사회가 중요한 가치로 삼고 있는 '아로파(aropa)'는 연민, 사랑, 나눔 협동 등을 의미한다. 이 섬의 경제 활동은 대부분 바다에서 이루어지며, 이들은 함께 일하고 함께 나눈다. 먹을 만큼만 잡고, 잡아 온 물고기는 마을 사람들이 모두 모인 곳에서 족장이 분배한다. 가구별로 나누되 각 가구의 필요를 고려하여 분배한다. 이러한 생산이나 분배의 방식은 수백 년 동안 이어져 온 그들의 관습이다.

<라>

기본 소득이란 자산, 소득, 노동 활동 여부에 관계없이 모든 국민에게 정기적으로 일정액의 소득을 지급하는 제도이다. 최근 몇 년 사이 유럽 국가들을 중심으로 기본 소득에 대한 논의가 활발하게 이루어지고 있는데, 핀란드의 경우 실험 모델을 개발하기 위한 연구에 들어가는 등 일부 국가 또는 지방 자치 단체가 구체적인 정책 실험을 진행하고 있다. 이렇게 기본 소득 도입 논의가 활발해진 이유는 자동화, 로봇, 인공 지능 등으로 인해 발생하는 구조적인 일자리 감소에 대한 위기감이 크게 작용하고 있기 때문이다.

<마>

경기가 과열되면 가계나 기업의 소득이 증가한다. 누진 세율을 적용하는 소득세 제도 아래에서는 소득이 증가할수록 조세 징수액이 늘어나게 되므로, 그 자체가 경기를 진정하는 효과가 있다. 반면 경기가 침체되면 자동으로 조세 징수액이 줄어들어 경기를 부양하는 효과가 있다.

【문제 2】 제시문 <가>를 요약한 후, 평균적 정의와 배분적 정의에 해당하는 사례를 제시문 <나>, <다>, <라>, <마>에서 선정하고 그 근거를 논술하시오. (500자 내외) [100점]

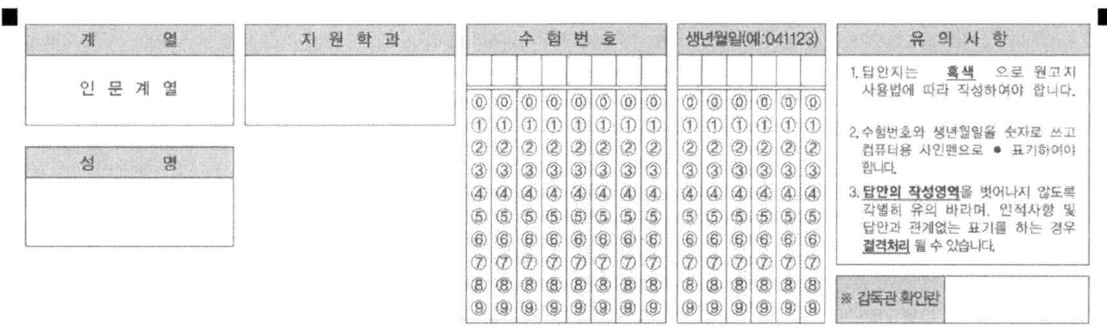
계 열	지 원 학 과	수 험 번 호	생년월일(예:041123)	유 의 사 항
인 문 계 열				1. 답안지는 흑색 으로 원고지 사용법에 따라 작성하여야 합니다. 2. 수험번호와 생년월일을 숫자로 쓰고 컴퓨터용 사인펜으로 ● 표기하여야 합니다. 3. 답안의 작성영역을 벗어나지 않도록 각별히 유의 바라며, 인적사항 및 답안과 관계없는 표기를 하는 경우 결격처리 될 수 있습니다.
성 명				※ 감독관 확인란

【1번】 답안 **(반드시 해당 문제와 일치하여야 함)**

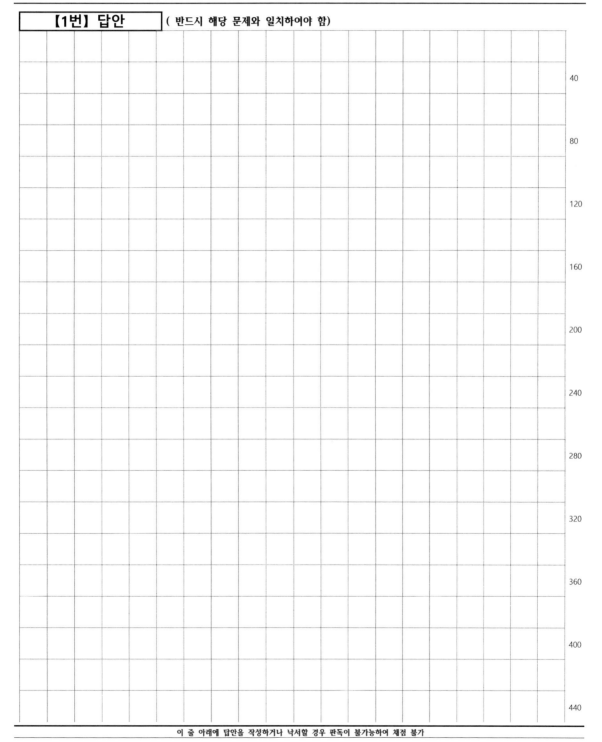

이 줄 아래에 답안을 작성하거나 낙서할 경우 판독이 불가능하여 채점 불가

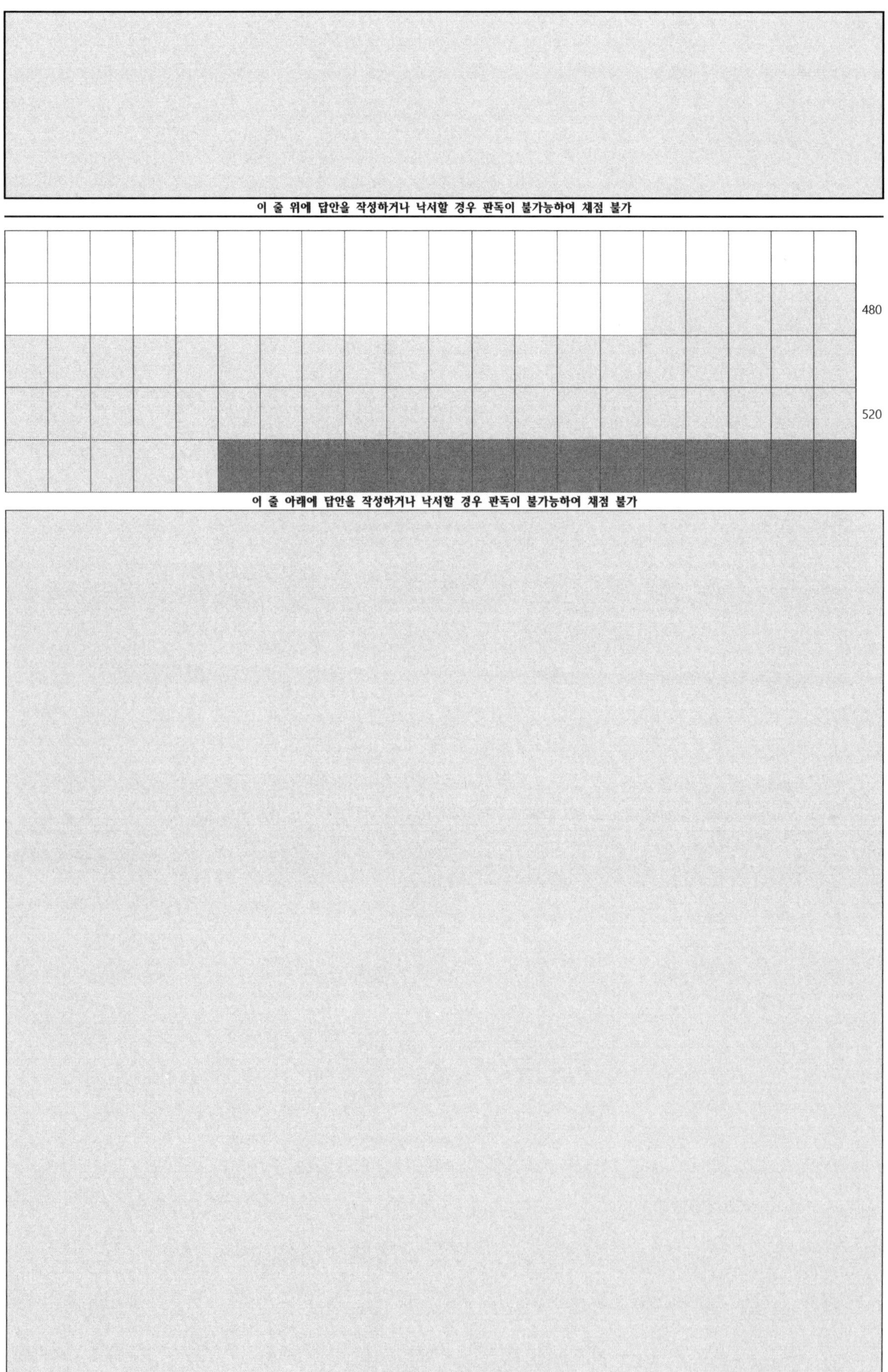
이 줄 위에 답안을 작성하거나 낙서할 경우 판독이 불가능하여 채점 불가
480
520
이 줄 아래에 답안을 작성하거나 낙서할 경우 판독이 불가능하여 채점 불가

이 줄 위에 답안을 작성하거나 낙서할 경우 판독이 불가능하여 채점 불가

【2번】 답안 (반드시 해당 문제와 일치하여야 함)

이 줄 아래에 답안을 작성하거나 낙서할 경우 판독이 불가능하여 채점 불가

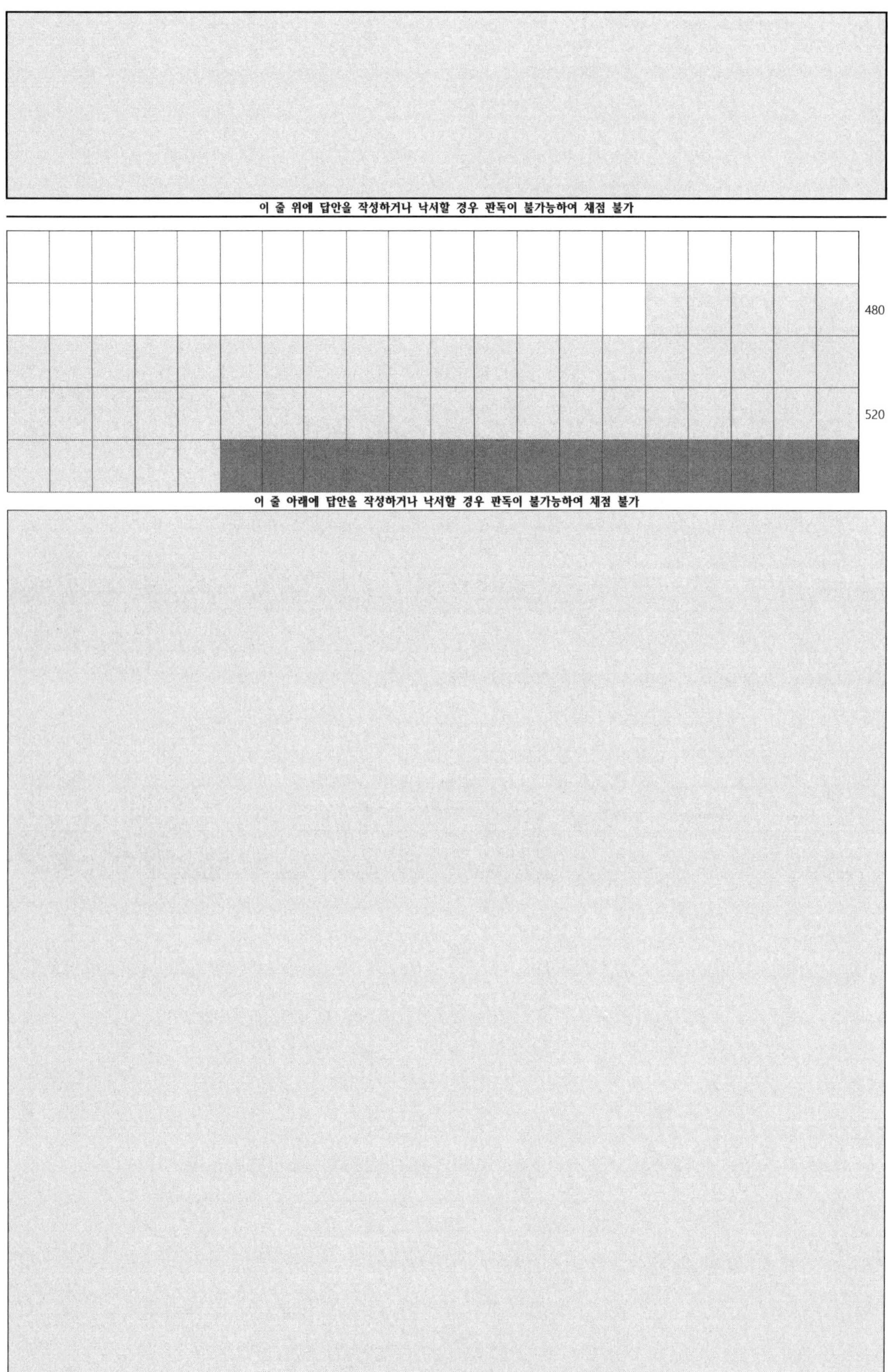
이 줄 위에 답안을 작성하거나 낙서할 경우 판독이 불가능하여 채점 불가
480
520
이 줄 아래에 답안을 작성하거나 낙서할 경우 판독이 불가능하여 채점 불가

Ⅵ. 예시 답안

1. 2025학년도 덕성여대 모의 논술

[문제 1] <가>의 관점이 예술을 넘어 적용될 수 있다고 가정할 때, <나>와 <다>의 ㉠~㉣을 '진짜'와 '가짜'로 분류하여 논술하시오. 단, '진짜'의 경우에는 '좋은' 것인지 '나쁜' 것인지도 함께 논술하시오. (500자±25)

〈가〉에 제시된 톨스토이의 예술론에 따르면 ㉠과 ㉣은 '진짜인 좋은' 것, ㉡은 '진짜인 나쁜' 것, ㉢은 '가짜'로 분류된다. '진짜' 예술은 누구나 쉽게 이해할 수 있으나 '가짜' 예술은 특정한 사람들만 이해할 수 있다. 우선, ㉢은 특정 개인이 ㉣을 의도적으로 무시하고 자신만이 이해하는 언어를 만든 것으로 '가짜'이다. 반면, ㉠과 ㉡에는 많은 주민들이 쉽게 이해하고 참여하였고 ㉣은 누구나 잘 이해하는 언어이므로 '진짜'이다. 이때, 〈가〉의 관점에 따르면 '진짜' 예술은 효과에 따라 사람들을 단합시키는 '좋은' 예술과 분열을 초래하거나 부정적 감정을 유발하는 '나쁜' 예술로 재분류된다. 이 기준을 적용하면 ㉠과 ㉣은 '진짜인 좋은' 것, ㉡은 '진짜인 나쁜' 것이다. ㉠은 공동체를 유지하고 단합시키는 효과를, ㉣은 '그'가 사람들을 이해하고 사람들이 '그'를 이해하게 하는 효과를 지닌 반면, ㉡은 결과적으로 공동체를 분열시키고 사회적 붕괴를 초래하였기 때문이다. (493자)

[문제 2] 제시문 <가>에 나타난 파놉티콘과 시놉티콘(혹은 역파놉티콘)의 개념을 요약하고, <나>, <다>, <라>, <마>의 지문을 제시문 <가>의 관점들에 따라 분류한 뒤, 이유를 논증하시오.

제시문 <가>는 정보를 활용하여 권력이 개인에 대한 통제와 감시의 역할을 할 수 있다는 측면인 파놉티콘과, 다수의 개인이 권력을 감시할 수 있다는 시놉티콘(혹은 역파놉티콘)에 대한 개념을 제시한다. <다>는 사물 인터넷과 스마트 홈에서 사용되는 정보가 개인 정보를 취합할 수 있는 도구가 될 수 있다는 점을 지적하고 있기에 파놉티콘에 해당하는 제시문이라고 할 수 있다. <마> 역시 헌법 제37조 제2항을 제시함으로써 국가 안전보장, 질서유지, 그리고 공공복리의 관점에서 권력의 개인에 대한 통제를 일정부분 허용한다는 점에서 파놉티콘의 관점을 지닌 제시문이라고 할 수 있다. 반면, <나>는 누리 소통망(SNS)을 통해 튀니지 독재 정권의 부패를 적나라하게 폭로함으로써 개인들이 권력 체제에 영향을 끼친 사례이므로 시놉티콘에 해당하는 제시문이라고 할 수 있다. 또한, 전자 민주주의에 대한 제시문 <라> 역시 정보 통신 기술을 이용해 개인이 직접 권력에 대한 참여를 한다는 점에서 시놉티콘의 사례라고 할 수 있다. (511자)

2. 2024학년도 덕성여대 수시 논술

[문제 1] 제시문 <가>의 논지를 토대로 제시문 <나>와 <다>를 설명하시오. (500±25자) [100점]

맹자는 우리 몸의 감각 기관과 마음의 관계를 통해 인간의 본성과 의지의 중요성을 강조

했다. 그에 따르면, 감각 기관은 외부 대상에 반응해 욕망을 충족시키는 방식으로 작동하는 반면, 마음은 하늘이 내려준 본성에 기초해 의지로 발현된다는 것이다. 마음이 제대로 작용하지 못하면, 감각 기관의 반응에 이끌려 외부상황에 압도되거나 현상을 잘못 인식하게 된다. 그러므로 '큰 몸'에 해당하는 마음을 통해 '작은 몸'에 해당하는 감각 기관을 관리, 통제해야 한다고 보았다. 이러한 관점에서 볼 때, <나>의 필자가 하룻밤에 아홉 번 강을 건너면서 강물 소리에 압도되지 않고 마음 편히 건널 수 있었던 것은, '큰 몸'인 마음을 차분히 다스림으로써 '작은 몸'인 눈과 귀가 강물에 현혹되지 않았기 때문이다. 반면 <다>의 화자가 마음속 먹구름을 닦고, 머리 위 쇠 항아리를 찢어 맑은 하늘을 보라고 한 것은, 사람들이 '큰 몸'인 마음을 수양하지 않아서 외부 대상을 잘못 파악한 것으로 보았기 때문이다. (500자)

[문제 2] 제시문 <가>에 나타난 법치주의를 바라보는 두 가지 관점을 요약하고, 각각의 관점에 해당하는 사례를 <나>, <다>, <라>, <마>에서 선정하여 그 근거를 논술하시오. (500±25자) [100점]

<가>는 법치주의에 대한 두 가지 관점으로 법률의 절차적 합법성만 중시하는 형식적인 법치주의와 절차를 넘어 내용과 목적도 중시해야 한다는 실질적인 법치주의를 제시한다. <나>는 형식적인 법률의 준수만을 강조하며 시민들의 존엄과 자유에 대한 권리를 제약했던 개정 경범죄 처벌법에 대한 것으로 형식적인 법치주의의 사례이다. 반면 <다>, <라>, 그리고 <마>는 실질적인 법치주의에 해당하는 사례이다. <다>는 헌법의 내용과 목적을 고려하여 흑인들의 권리를 침해한 「짐 크로법」이 사라지는 과정에 대한 것이므로 실질적인 법치주의가 구현된 사례이다. <라>는 야간 옥외 집회를 원칙적으로 금지했던 법률이 학생과 직장인의 집회 참가에 대한 권리를 제한하여 헌법에 위반된다는 것을 제시한 사례이므로 실질적인 법치주의에 해당한다. <마>는 법률에 명시되어 있더라도 정의롭지 못한 법에 시민들이 불복종할 수 있음을 보여주며, 법은 자연법이나 도덕률을 바탕으로 해야 함을 제시하므로 실질적인 법치주의 관점에 해당한다. (505자)

3. 2024학년도 덕성여대 모의 논술

[문제 1] 크레온, 안티고네, 정조의 입장을 요약하고, 하나의 입장을 택하여 <다>의 홍인형이 밑줄 친 ㉠에 대해 어떻게 대처해야 할 것인지 논술하시오. (500±25자)

<예시 답안 1>

크레온은 공동체를 위협한 폴리네이케스를 왕의 법으로 장례 치르지 못하도록 했다. 반면 안티고네는 이를 알고도 죄인이기 이전에 오빠인 폴리네이케스를 신의 법에 따라 장례 치러주었다. 크레온이 공동체를 위해 왕의 법을 강조했다면, 안티고네는 가족을 위해 신의 법을 우선시한 것이다. 정조의 경우 아버지의 원수를 죽인 김계손 형제를 현행법으로 처벌하는 대신 이들의 효행을 널리 알리고 관직을 내려주었다. 가족의 윤리를 강조하는 한편 이를 통해 공동체 질서를 바로잡고자 한 것이다. <다>의 홍인형 역시 동생 길동에 대해

가족 윤리를 우선할 것인가, 국가의 법을 우선할 것인가의 문제에 직면해 있다. 홍인형은 가족의 윤리를 강조하면서도 이를 통해 공동체 질서를 바로잡고자 한 정조의 논리에 따라 길동을 보호해야 한다. 홍인형은 동생인 홍길동을 처벌받아 죽게 할 수 없으며 홍길동의 장난 역시 사회모순을 타파하고 풍속을 바로잡는 것이었기에 임금에게 처벌의 부당함을 알리고 적극적으로 사면을 청해야 한다. (502자)

<예시 답안 2>

크레온은 공동체를 위협한 폴리네이케스를 왕의 법으로 장례 치르지 못하도록 했다. 반면 안티고네는 이를 알고도 죄인이기 이전에 오빠인 폴리네이케스를 신의 법에 따라 장례 치러주었다. 크레온이 공동체를 위해 왕의 법을 강조했다면, 안티고네는 가족을 위해 신의 법을 우선시한 것이다. 정조의 경우 아버지의 원수를 죽인 김계손 형제를 선왕의 법으로 처벌하는 대신 이들의 효행을 널리 알리고 관직을 내려주었다. 가족의 윤리를 강조함으로써 공동체 질서를 바로잡고자 한 것이다. <다>의 홍인형 역시 길동에 대해 동생으로서 가족 윤리를 우선할 것인가, 법을 어긴 죄인으로서 국가의 법을 우선할 것인가의 문제에 직면해 있다. 홍인형은 크레온의 논리대로 왕의 명을 받들어 홍길동을 잡아 가두어야 한다. 홍길동이 혈육이라 하더라도 사회질서를 어지럽히는 범죄를 저질렀고, 홍인형은 왕의 명을 받들어야 하는 관료 신분이기에 홍길동을 잡아 가둠으로써 자신의 직분을 다하고 공동체 질서를 안정시켜야 한다. (493자)

<예시 답안 3>

크레온, 안티고네, 정조는 모두 국가의 법과 가족애 사이에서의 판단을 보여 주고 있다는 점에서 공통적이다. 크레온은 국가에 반역하고 공동체를 위협한 폴리네이케스를 왕의 법으로 장례를 치르지 못하도록 선포했다. 이에 대해 안티고네는 죄인이기 이전에 오빠인 폴리네이케스를 폴리네이케스의 가족으로서 그의 장례를 치르지 않는 것은 신의 법을 어기는 행위로 간주했다. 크레온이 공동체의 질서 유지를 위해 왕의 법을 강조했다면, 안티고네는 신의 불문율인 가족의 윤리를 중시한 것이다. 한편 정조는 김계손 형제의 복수살인에 대해 가족의 윤리를 다했을 뿐 아니라 민간의 풍속을 두텁게 해 공동체의 질서 유지에 기여한 것으로 평가했다. <다>의 홍인형 역시 같은 문제에 직면해 있다. 홍인형은 안티고네의 논리에 따라 가족의 윤리를 우선해 홍길동을 보호해야 한다. 길동이 비록 서자지만 인형에게는 동생이다. 홍길동을 잡아 가두고 죄를 묻는다면, 이는 동생을 상하게 하거나 굶기야 죽게 만드는 것이므로 신의 불문율인 인륜을 저버리는 것이기 때문이다. (521자)

[문제 2] 제시문 <가>를 요약한 후, 제시문 <나>, <다>, <라>, <마>를 사회 실재론과 사회 명목론으로 구분하고 그 근거를 논술하시오. (500자 ± 25자) [100점]

<가>는 사회 현상을 설명하기 위한 관점인 사회 실재론과 사회 명목론에 대한 것이다. 사회 실재론은 개인의 특성보다 사회 구조적 요인이 사회 현상을 설명할 수 있다는 관점이며, 사회 명목론은 개인의 특성이 사회 구조에 앞서 사회 현상을 설명할 수 있다는 관점이다. 먼저 <나>는 런던에 위치한 쇼어디치에 대한 것으로 예술가 개인들에 의해 사회 구조

가 빈민촌에서 문화 예술지역으로 변화한 것을 보여준다. 또한 <마>는 목사 개인의 능동적인 노력으로 인해 흑인 참정권을 획득한 예시이다. 즉 개인의 특성으로 인한 사회 현상을 설명하므로 <나>, <마>는 사회 명목론적인 관점이라고 할 수 있다. 반면 사회 유기체설에 대한 <다>는 개인이라는 하나의 기관이 사회라는 통합체를 구성하므로 사회는 구성원들의 합 이상의 존재라는 점을 제시한다. 또한 <라>에서 청년실업률이 저조한 이유는 대학 진학률이 높은 사회 구조에 의한 것임을 지적한다. 따라서 <다>, <라> 모두 사회 실재론에 대한 제시문임을 알 수 있다. (507자)

4. 2023학년도 덕성여대 수시 논술

【문제 1】 <가>의 핵심 내용과 관련하여 <다>에 나타난 상대 높임법 등급의 전환을 설명하고, 그 전환의 이유를 <나>를 바탕으로 논하시오. (500자 내외)

<가>는 상대 높임법의 사용에는 여러 사회적 요인들이 관여하며, 각 공동체의 성격에 따라 상대 높임법에 관한 적절한 규범은 달라질 수 있음을 말하고 있다. 처음의 일상적인 대화에서 중위는 나이는 더 많지만 계급이 낮은 소위에게 낮춤의 등급인 해체를 사용한다. 이로부터 <다> 공동체의 일상적인 대화에서는 나이 요인보다 계급 요인이 중요하다는 규범이 작용함을 알 수 있다. 이후에 중위는 해체를 해요체로 전환하는데, 이는 해당 공동체의 자연스러운 상대 높임법 사용이라고 보기 어렵다. <나>에서는 규범이 절대적이지 않다고 보며, 목적 달성을 위한 유용성을 중요하게 생각한다. 이러한 실용주의 입장에서 상대 높임법 등급의 전환은 목적 달성을 위하여 공동체 규범을 의도적으로 따르지 않은 행위로 이해된다. 구체적으로, 중위는 소위에게 본래 낮춤의 등급인 해체를 사용해야 하지만 일부러 높임의 등급인 해요체를 사용하여 상대를 더 대우해 줌으로써 '학문적 도움 얻기'라는 목적을 달성하고자 하였다고 할 수 있다. (506자)

[문제 2】 제시문 <나>, <다>, <라>, <마>를 제시문 <가>에 나타난 두 가지 관점을 기준으로 구분하고, 그 근거를 논술하시오.(500자 내외) [100점]

<가>는 개인의 자유가 더 중요하다고 보는 관점과 공동체의 가치가 더 중요하다고 보는 관점을 제시하고 있다. <나>, <라>, <마>는 공동체의 가치를 중시하는 관점에 해당한다. <나>에서 출산은 기본적으로 개인의 선택 영역이다. 하지만 정부는 공동체의 유지와 발전을 위하여 초저출산 문제를 해결하고자 다양한 출산 장려 정책을 시행해 개인의 참여를 독려하고 있다. <라>에서 정부의 자가 격리 조치는 공공의 안전을 위해 개인이 자유롭게 이동할 수 있는 권리를 제한하고 있다. <마>에서 미국의 갑부들이 부유세를 낼 의향이 있다고 청원서를 낸 이유는 자신이 사는 공동체가 올바로 유지되고 발전하기 위해서 사회적 책임을 다하는 것이 필요하다고 생각하기 때문이다. 반면 <다>는 개인의 자유의 가치를 중시하는 관점에 해당한다. 왜냐하면 개발 제한 구역 조치로 재산권 행사에 제한을 받아 온 시민들이 정부 정책에 대응하는 것은 공동체 가치를 근거로 개인의 자유가 침해되어서는 안 된다고 생각하기 때문이다. (502자)

5. 2023학년도 덕성여대 모의 논술

【문제 1】 제시문 〈가〉, 〈나〉, 〈다〉, 〈라〉를 언어와 사고의 관계에 관한 서로 다른 두 개의 견해로 분류하여 그 차이점을 서술하시오. (500자 내외)

제시문은 언어와 사고의 관계에 대한 입장을 기준으로 하면 <가>·<라>와 <나>·<다>로 나뉜다. 우선, 〈가〉와 〈라〉는 언어가 인간의 사고에 영향을 미친다고 본다. 〈가〉는 언어가 인간이 특정하게 사고하도록 유도한다고 보고, 그 사례로 드럼통에 쓰여 있는 'empty'(비었음)이라는 문구가 화재를 유발한 일화를 제시한다. 나아가, 〈라〉는 헵타포드어를 배움으로써 '나'가 미래를 지각할 수 있는 능력을 얻게 되었다는 내용을 통해 새로운 언어의 학습이 사고방식을 결정할 수도 있음을 보여 준다. 반면, 〈나〉와 〈다〉는 언어가 사고에 영향을 주지 못한다고 본다. 〈나〉는 언어가 세상에 대한 사람들의 생각을 결정하는 힘을 지니지 않는다고 보고, 그 사례로 '다트머스'라는 지명이 그 지역에 관한 사람들의 생각을 규정하지는 못한다는 점을 이야기한다. 〈다〉 역시 초나라 사람들이 어부의 이름이 아니라 그의 행적에 주목했으며 후세 사람들이 어부의 가치에 대해 지니는 생각은 이름의 귀천에 영향을 받지 않았음을 지적한다. (513자)

【문제 2】 제시문 <나>, <다>, <라>의 내용을 바탕으로 사회 불평등을 바라보는 제시문 <가>의 관점을 비판하시오. (500자 내외) [100점]

제시문 <가>는 기능론적 관점에서 사회 불평등이 당연하다고 주장한다. 이 주장은 제시문 <나>, <다>, <라>를 통하여 비판할 수 있다. 제시문 <가>는 일에는 기능적 중요도가 존재하여 중요한 일을 수행하는 사람에게 자원이 더 분배되는 것이 당연하다는 점, 개인의 능력과 노력에 따라 소득이 분배되는 것은 합리적이라는 점, 이런 배분 방식이 개인의 성취 동기를 자극하여 사회를 원활하게 작동하게 만든다는 점을 들어 사회 불평등이 당연하다고 주장한다.

그러나 제시문 <다>에서처럼 일의 중요도를 정확히 판단하기는 어려울 수 있어서 일의 중요도에 따른 자원의 차등 배분이 당연한 것은 아니다. 또한 제시문 <라>와 같이 개인의 성취에 가정환경 등의 다양한 요인이 영향을 미칠 수 있으므로 소득 분배가 언제나 온전히 개인의 능력과 노력에 따라 이루어진다고 보기 어려운 측면도 있다. 이뿐만 아니라 제시문 <나>에서처럼 양극화가 심각한 사회에서는 사회 갈등이 초래되어 안정적으로 유지되기 어려운 측면도 존재한다. (506자)

6. 2022학년도 덕성여대 수시 논술

[문제 1] <가>를 활용하여 밑줄 친 ㉠, ㉡, ㉢의 심리 상태를 각각 설명하시오. (500자 내외) [100점]

【예시답안 1】

감정이입은 타인과 자신이 동일한 위치에 있지 않다는 인식 하에서 타인의 상황을 이해하는 심리 상태이며, 연민은 타인의 처지와 감정에 대한 이해에 더하여 그러한 상황이 자신

에게도 일어날 수 있다고 느끼는 심리 상태이다. 연민이 일어나기 위해서는 첫째, 타인의 상황이 심각해야 하고, 둘째, 그 상황이 부당하거나 과도해야 하며, 셋째, 그 상황이 여타의 경우에까지 확장될 수 있다는 세 가지 조건이 충족되어야 한다. ㉠은 소가 처한 상황에 대한 이해가 양에게까지 확장되지 못한다는 점에서 감정이입은 일어나지만 연민에까지는 이르지 못한 것으로 이해된다. ㉡은 거미 새끼를 그저 쓸어버릴 수 있는 대상으로만 인식한다는 점에서 연민은 물론 감정이입도 이루어지지 못한 것으로 이해된다. ㉢은 거미 가족이 서로 흩어진 상황을 심각하게 받아들이며 자신이 그 상황 유발에 관여했다는 점에서 부당함을 느낄 뿐 아니라 식민 치하에서 가족과 함께 하지 못하고 있는 자신의 현실에 대한 감정이 투영되어 있다는 점에서 연민의 심리 상태가 드러난 것으로 이해된다. (525자)

【예시답안 2】

감정이입은 타자의 경험에 가치를 부여하지 않고 상상으로 재구성하는 것이고 연민은 타자의 불행에 대한 공감을 거쳐 고통스런 감정에 이른 상태이다. 연민에는 타자의 고통에 대한 심각함, 타자가 겪는 고통의 부당함, 타자의 고통이 자신의 고통이 될 가능성이라는 세 가지 조건이 전제된다. ㉡에서 시적 화자는 거미 새끼를 차가운 바깥 세계로 쓸어버렸다. 이는 감정이입도 연민도 가지지 않은 상태를 말한다. ㉠에서 제선왕(齊宣王)은 소에게 측은한 감정을 느껴 소 대신 양을 쓰도록 명령한다. 소가 처한 상황의 심각함과 부당함의 감정이 양에게까지 투사되지 않았다는 점에서 감정이입은 일어났으나 연민에까지 이르지는 못했다고 할 수 있다. ㉢의 시적 화자는 거미 새끼를 쓸어버린 자신의 행위가 거미 가족을 흩어지게 만들었음을 인식하고 서러워한다. 이는 거미의 고통이 심각하고 자신의 행위로 인해 거미 가족이 흩어진 것이 부당하며 거미 가족의 이산이 자신의 것이 될 수도 있다는 심리를 나타낸 것이므로 연민이라고 이해할 수 있다. (507자)

【예시답안 3】

감정이입(empathy)은 타인과 나는 동일한 위치에 있지 않다는 인식 하에서 타인의 처지 와 감정을 상상하는 것이며, 연민(compassion)은 적극적으로 타인의 상황과 정서에 몰입하는 것이다. 연민의 요건으로는 문제 상황의 심각성, 타자가 고통을 겪는 것에 대한 부당성, 타인의 불행이 나에게도 일어날 수 있다는 가능성의 인식이 있다. ㉡은 거미를 외부 대상으로 간주하고 정서적 거리감을 유지한다는 점에서 감정이입과 연민에 해당하지 않는다. ㉠은 사지로 향하는 소의 심정에 감정이입하여 소를 풀어주지만 대신 양을 희생양으로 삼는다는 점에서 연민은 아니다. 소가 직면한 상황의 심각성과 소의 희생이 부당하다는 점에는 공감하나 누구에게나 동일한 불행이 닥칠 수도 있다는 인식이 없기 때문이다. 반면 ㉢에는 거미 식구를 해체한 자신의 행위가 부당하며 이를 심각하게 받아들이고 거미 식구가 쉬이 재결합하기를 바란다는 점에서 타인과 나를 동일시하는 연민에 이르렀다고 볼 수 있다. (489자)

[문제 2】 <가>를 요약하고 이를 바탕으로 <나>, <다>, <라>, <마>에 드러난 문화를 이해하는 방식을 비판하시오.(500자 내외) [100점]

<가>는 문화를 이해하는 태도로 자문화를 기준으로 타문화를 판단하는 자문화 중심주의, 자문화를 낮게 평가하고 타문화를 숭상하는 문화 사대주의, 특정 문화가 형성된 사회적 맥락을 고려해 각 문화가 가진 고유의 가치를 인정하고자 하는 문화 상대주의를 설명한다. <나>에서 백인들은 타 인종에 비해 우월하다고 여기며 침략을 정당화하였다. <마>에서 유생들은 서양 문화를 야만으로 인식하며 위정척사 운동을 벌였다. <나>와 <마>는 자문화 중심주의의 폐해를 드러내는 예시로 타문화를 경시하거나 자기 문화만을 고집해 교류를 거부하는 것으로 변질될 수 있다. <다>에서 연나라의 젊은이는 조나라 문화를 동경한 나머지 자신의 걸음걸이를 잊어버렸다. 이는 문화 사대주의의 부정적 결과를 나타내는 예시로 타문화를 맹목적으로 숭배해 문화적 주체성을 잃게 된다. <라>에서 일부 사람들은 여성을 희생하는 사티까지도 고유문화로 인정해야 한다고 주장한다. 이는 문화 상대주의의 극단적인 태도로 인권을 훼손하는 문제를 낳는다. (506자)

7. 2022학년도 덕성여대 모의 논술

【문제 1】〈다〉를 토대로 〈가〉의 ㉠과 〈나〉의 ㉡을 비교하고, 그 결과를 활용하여 〈라〉의 ㉢에 제시된 문제 상황에 대해서 논술하시오. (500자 내외) [100점]

[예시 답안 1]

〈다〉에 따르면, 우리는 감각과 반성을 통해 새로운 지식을 형성한다. 감각은 외부의 사물이 감각기관을 통해서 의식에 들어오는 과정이고, 반성은 감각을 새로운 지식으로 종합하는 정신 작용이다. ㉠에서 고릴라를 보지 못한 피실험자들과 ㉡에서 코끼리를 잘못 본 사람들은 새로운 지식을 형성하지 못했다는 공통점이 있다. 한편, 〈가〉의 피실험자들은 고릴라를 감각하는 데 실패하여 고릴라가 지나갔다는 사실을 인지하지 못했고 〈나〉의 사람들은 동물에 대한 기존 지식에 매몰되어 코끼리를 반성적으로 이해하지 못했다는 차이가 있다.

〈라〉의 문제 상황은 '그'를 '꽃'이 아니라 '하나의 몸짓'에 불과한 것으로 인식한 데 있다. ㉢에서 시적 화자인 '나'는 '그'가 존재하지 않는 것처럼 전혀 감각하지 못하고 있다. 이는 ㉠의 피실험자들이 고릴라를 보지 못한 것과 마찬가지로 '그'를 감각하는 것 자체에 실패한 것이다. 그 결과 '나'는 '그'의 빛깔과 향기에 알맞은 새로운 지식을 형성하지 못한 것이다. (500자)

[예시 답안 2]

〈다〉에 따르면, 우리는 감각과 반성을 통해 새로운 지식을 형성한다. 감각은 외부의 사물이 감각기관을 통해서 의식에 들어오는 과정이고, 반성은 감각을 새로운 지식으로 종합하는 정신 작용이다. ㉠에서 고릴라를 보지 못한 피실험자들과 ㉡에서 코끼리를 잘못 본 사람들은 새로운 지식을 형성하지 못했다는 공통점이 있다. 한편, 〈가〉의 피실험자들은 고릴라를 감각하는 데 실패하여 고릴라가 지나갔다는 사실을 인지하지 못했고, 〈나〉의 사람들은 동물에 대한 기존 지식에 매몰되어 코끼리를 반성적으로 이해하지 못했다는 차이가 있다.

〈라〉의 문제 상황은 '그'를 '꽃'이 아니라 '하나의 몸짓'에 불과한 것으로 인식한 데 있다.

ⓔ의 시적 화자인 '나'는 '그'의 존재를 감각하였지만 그 '빛깔과 향기에 알맞은' 존재로 인식하지 못하고 있다. 이는 ⓒ의 사람들이 코끼리를 잘못 본 것과 마찬가지로 '그'에 대한 감각을 제대로 반성하는 데 실패한 것이다. 그 결과 '나'는 '그'에 대한 올바른 지식을 형성하지 못한 것이다. (510자)

【문제 2】 <가>의 글을 읽고, 시장 경제를 뒷받침하기 위한 제도가 갖추어야 할 주요한 조건을 정리한 뒤, 이 정리의 일부를 사용하여 <나>, <다>, <라>에 명시된 경제활동을 비판하시오. (500자 내외) [100점]

<가>에서는 시장 경제를 뒷받침하기 위한 사회제도의 세 가지 조건을 설명하고 있다. 첫째, 개별 경제 주체들의 자유로운 경제활동 보장, 둘째, 개인이 보유한 재산을 사용하고 처분할 수 있는 권리의 보장, 셋째, 공정한 경쟁이 이루어지는 시장 질서의 보장이 그것이다. <나>에서 명은 해금 정책과 조공·책봉 체제를 도입해 다양한 주체들이 자유로운 국제 무역을 수행할 수 없도록 규제하였다. <가>에서 설명한 경제활동의 자유가 보장되지 못한 체제이므로 국가 간의 원활한 자원 배분이 이루어지지 못하였다. <다>에서 아메리카 대륙은 에스파냐의 이익을 위해 농작물 생산 활동에 제약이 가해지는 상황에 놓여 있었다. 이 역시 경제활동의 자유가 없는 경제 체제의 예시로 아메리카 대륙의 대외경제 의존을 높이는 악영향을 낳았다. <라>는 물자를 대량으로 사들였다가 가격이 올랐을 때 매각하여 폭리를 취하는 매점매석을 설명하고 있다. <가>에서 설명한 공정한 경쟁이 보장되지 못하는 상황으로 폭리를 취하는 자 이외의 모든 생산자와 소비자가 피해를 본다. (525자)

8. 2021학년도 덕성여대 수시 논술

[문제 1] <가>, <나>, <다>에 나타난 문제 상황을 분석하고 공통점을 서술한 후, 그 공통된 문제 상황을 해결하기 위한 한국 교육의 방향을 <라>, <마>의 내용을 바탕으로 논하시오.

<가>에는 다문화 가정 출신의 아이에 대한 인종 차별이 나타나 있고, <나>에는 사투리를 사용하는 아이에 대한 지역 차별이 나타나 있으며, <다>에는 가부장적 사회에서 일어나는 여성에 대한 성 차별이 나타나 있다. 이 글들은 가해자와 피해자가 달라짐에 따라 차별의 양상이 달라짐을 보이고 있지만 약자 혹은 소수자에 대한 차별이라는 점에서 하나의 공통적 문제 상황으로 이해된다. <라>와 <마>는 이러한 차별적 상황을 극복하기 위해 필요한 인식과 교육의 방향을 제시하고 있다. 즉 <라>에서는 '나'와 '너'가 주체와 주체로서 대등한 동격 관계를 형성한다는 인식의 중요성을 서술하고 있고 <마>에서는 인종, 계급, 종교적으로 복잡한 한국의 현대 사회에서 '비판적 질문하기'라는 소크라테스식 사고를 교육에 적용함으로써 '차이'를 인정하고 '차별'을 평화적으로 극복할 수 있다는 교육적 방향성을 제시하고 있다. 이러한 인식과 교육 방향을 실현함으로써 한국 사회는 더 민주적인 사회로 발전할 수 있다. (500자)

[문제 2] <가>의 내용을 두 가지 관점에서 요약하고 해당하는 사례를 <나>, <다>, <라>, <마>에서 선정하여 그 근거를 논술하시오. (500자 내외)

<가>는 학교 규율과 국가 간 인사법의 예시를 통해 사회 구조가 개인의 사고와 행위를 결정한다는 관점과 공교육 확대의 사례를 통해 개인이 역으로 사회 구조를 변화시킬 수 있다는 두 가지 관점을 설명한다.
<나>에서 자본주의 구조 속에서 사회적 약자들은 자신의 생존권을 지키는 데 실패한다. <마>에서 조선사회는 양반, 중인, 상민, 천민의 신분제를 통해 개인의 삶을 규제한다. 이 사례들은 국가의 사회 구조가 개인의 삶을 통제한 예라는 점에서 <가>의 관점 중 개인에 대한 사회 구조의 영향에 해당한다.
반면 <다>에서 시민들은 불합리한 국가의 법과 정책을 비폭력 시민 불복종을 통해 변화시키려 한다. 또한, <라>에서 차미리사와 같은 일제 강점기 신여성들은 사회 및 교육 운동을 통해 사회가 가하는 여성 억압을 타파하려고 노력하였다. 이 사례들은 개인이 사회 구조에 의해 일방적으로 지배되는 것이 아니라 개인 또한 사회 구조에 영향을 줄 수 있음을 보여준다는 점에서 <가>의 사회에 대한 개인의 영향에 해당한다. (509자)

9. 2021학년도 덕성여대 모의 논술

【문제 1】 (가)의 주인공과 (나)의 실험 참여자(교사 역할자)의 공통적인 모습을 설명한 후, (다)와 (라)의 논지를 종합하여 이를 평가하시오. (500자) [100점]

해방 이후 민족 반역자로 몰리게 된 (가)의 주인공 이인국은 자신의 죄상을 돌아보며 공포에 떨지만 식민지 현실에서는 개인의 이익을 추구하는 것이 당연했다고 스스로를 정당화한다. (나)의 실험 참여자는 양심의 가책을 느꼈음에도 지시에 따라 주어진 의무를 수행함으로써 다른 사람에게 엄청난 고통을 준다. 둘은 부정적인 외부 상황 속에서 부당함에 저항하기보다 나름의 사정에 따라 비윤리적인 행위를 했다는 공통점을 가진다. 이는 (다)와 (라)에 의해 비판받을 수 있다. (다)는 생각이 없는 삶은 가치가 없으며 훌륭함을 추구하는 지혜가 중요함을 강조한다. (라)는 개인의 양심에 따라서 옳지 않은 법률에 저항해야 함을 역설한다. 개인적 성찰을 통해 옳은 것을 깨닫고서 양심에 따라 사회의 부당한 권위에 맞서야 한다는 (다)와 (라)의 관점에서 볼 때, 이인국과 실험 참여자는 자신을 돌아보지 않고서 주어진 사회적 상황에 순응하거나 그것을 이용함으로써 양심에 귀를 닫고 옳지 못한 행위를 했다는 평가를 피할 수 없다. (509자)

【문제 2】 제시문 <가>를 요약한 후, 평균적 정의와 배분적 정의에 해당하는 사례를 제시문 <나>, <다>, <라>, <마>에서 선정하고 그 근거를 논술하시오. (500자 내외) [100점]

<가>는 평등을 바탕으로 한 법적 정의를 평균적 정의와 배분적 정의로 구분한다. 평균적 정의란 차이에 대한 고려 없이 똑같이 대우하는 형식적 평등을 통해 실현되는 정의를 말한다. 배분적 정의는 개인의 차이를 반영한 차등적 대우를 통해 실질적 평등을 추구하는 정의를 말한다.
<나>에서 보건복지부는 가구의 중위 소득 차이에 따라 차등적인 급여를 제공한다. <다>에서 아누타섬의 족장은 공동으로 포획한 물고기를 가구별로 나누되 가구의 필요에 따라

다르게 분배한다. <마>에서 국가는 가계와 기업의 소득에 따라 조세 징수액을 차별적으로 부과한다. 위의 사례들은 모두 가구나 기업의 크기나 소득 차이를 고려하여 다르게 대우하는 실질적 평등을 추구하였다는 점에서 <가>의 배분적 정의에 해당한다.

반면 <라>에서 국가는 개인의 자산, 소득, 노동의 차이에 대한 고려 없이 똑같은 액수를 기본 소득으로 제공한다. 그러므로 이 사례는 개인의 차이와 상관없이 형식적으로 같은 대우를 한다는 점에서 <가>의 평균적 정의에 해당한다. (513자)